LE BESCHERELLE 1

l'art de conjuguer

DICTIONNAIRE
DE DOUZE MILLE VERBES

**NOUVELLE ÉDITION
ENTIÈREMENT REMISE A JOUR**

ÉDITIONS HURTUBISE HMH Ltée - Tél. 364-0323

7360 boul. Newman, Ville LaSalle, Québec H8N 1 X 2

© Hatier – Paris 1980

ISBN 2 - 89045 - **445** - 2

AVERTISSEMENT

La conjugaison des verbes reste la principale difficulté de notre langue. La nouvelle édition du BESCHERELLE 1 fournit une liste des verbes, révisée et augmentée. Quelques rares verbes désuets ont été abandonnés. En revanche, parmi les centaines de verbes introduits figurent des verbes relevant des langues de métiers et de la langue argotique, familière ou verte.

Comment se fait-il que sept mille entrées représentent douze mille verbes? D'une part, certaines entrées correspondent à plusieurs verbes différents selon le sens et selon l'origine, p. ex. appointer, écarter, épater, rembarrer; d'autre part, les significations de certains verbes se sont parfois développées de manière autonome, p. ex. entoiler : fixer quelque chose sur une toile et fixer une toile sur un support. Sont donc comptés les emplois transitifs et les emplois véritablement intransitifs ainsi que les emplois pronominaux qui ne se réduisent pas au sens passif (ce qui serait le cas pour s'éduquer, s'épousseter ou s'exploiter). Qu'il faille compter plus d'un « verbe » pour voler ou ressortir, pour rendre (et se rendre), pour entraver (un animal) et entraver (comprendre, en argot), cela tombe sous le sens. Si l'on comptait cependant toutes les acceptions distinguées par les bons dictionnaires, on obtiendrait plus de cinquante mille mentions.

Les variantes orthographiques sont signalées, p. ex. ariser et arriser, receper et recéper, retercer et reterser.

Comme par le passé, le BESCHERELLE 1 assure une triple fonction. Il offre un dictionnaire orthographique des verbes en fin de volume. Il permet de résoudre les problèmes de conjugaison par le renvoi aux 82 tableaux qui forment la partie centrale de l'ouvrage. Enfin, il présente l'essentiel de la grammaire du verbe, autant par les renseignements donnés dans la liste alphabétique que par l'exposé grammatical placé en tête (pp. 6 à 12).

Puisse donc ce BESCHERELLE 1 contemporain, loin de déconcerter les fidèles usagers du précédent, aider mieux encore que par le passé tous ceux, petits et grands, Français et étrangers, qui veulent s'initier aux difficultés et aux délicatesses de notre conjugaison et qui ont le souci de s'exprimer avec pureté et correction.

L'Éditeur

LA GRAMMAIRE DU VERBE

Un verbe se conjugue. Sont susceptibles de varier : la *personne (aimes, aimons)*, le *temps (veut, voulut)*, le *mode (envoya, envoyât)*, l'*aspect (connut, connaissait)* et la *voix (a vendu, s'est vendu, a été vendu)*. Les formes entraînées par ces variations sont présentées systématiquement dans les **tableaux de conjugaison.**

L'accord selon la personne peut présenter quelques difficultés, qu'il s'agisse de l'accord avec le *sujet* ou, pour le participe et dans certains cas seulement, de l'accord avec l'*objet*. En traite la plus grande partie de la présente **grammaire du verbe.**

Le **dictionnaire orthographique** donne les verbes sous la forme infinitive et mentionne à leur propos les emplois types ou propres dont voici les caractéristiques :

On appelle *transitif* le verbe employé avec un complément d'objet (= sur lequel s'exerce ou passe l'action du sujet exprimée par le verbe). Lorsque le complément d'objet n'est pas précédé par une préposition, il est dit direct. Le verbe est alors indexé T dans le dictionnaire, p. ex. *abolir*. Lorsque le complément d'objet est introduit par une préposition, il est dit indirect. Dans ce cas, la préposition est indiquée dans le dictionnaire, p. ex. *coopérer à.*

Tous les verbes ne sont pas transitifs. Certains verbes relient l'attribut au sujet : ce sont les verbes attributifs, p. ex. *devenir, sembler, rester.* D'autres verbes expriment à eux seuls le procès complet et peuvent se passer d'autres compléments. Ils sont dits *intransitifs* et indexés I dans le dictionnaire, p. ex. *abonder.*

Le verbe *pronominal* est un verbe qui se conjugue avec un pronom personnel de la même personne que le sujet et désignant le même être que lui. On distingue les emplois pronominaux réfléchis *(je me lève)* et les emplois pronominaux réciproques *(ils se battent).* Certains verbes sont dits essentiellement pronominaux, p. ex. *s'évanouir.* La tournure pronominale peut correspondre à un sens passif, l'objet de la tournure active devenant sujet *(presque tous les verbes s'y trouvent < on y trouve presque tous les verbes).* L'emploi pronominal est noté P dans le dictionnaire. La notation P indique que le participe du verbe ainsi noté demeure invariable dans les temps composés.

Certains verbes ont plusieurs emplois. Tous les verbes transitifs peuvent, avec l'aide du contexte, être employés seuls, « absolument ». Tous les verbes transitifs donnent lieu à une construction pronominale à sens passif; l'indexation T suffit à le rappeler. Pour d'autres verbes, les divers emplois sont indexés séparément, p. ex. I & T *(aborder)*, I & P *(crapahuter)*, T & P *(abstraire)* ou I & T & P *(crever).*

DU RADICAL ET DE LA TERMINAISON DU VERBE

Il y a deux parties dans un verbe : le **radical** et la **terminaison**; le radical reste invariable, la terminaison varie.
Pour trouver le radical d'un verbe, il suffit de retrancher l'une des terminaisons de l'infinitif : **er, ir, oir** et **re.** Ex. : **er** dans *chant*er, **ir** dans *roug*ir, etc., **radical** : *chant, roug.*

DES TROIS GROUPES DE VERBES

Il y a, en français, *trois groupes de verbes,* qui se distinguent surtout d'après les terminaisons de l'infinitif, de la première personne de l'indicatif présent, du participe présent.

● Le 1er groupe renferme les verbes terminés en **er** à l'infinitif et par **e** à la première personne du présent de l'indicatif : *Aim*er, *j'aim*e.

● Le 2e groupe renferme les verbes terminés par **ir** et ayant l'indicatif présent en **is** et le participe présent en **issant** : *Fin*ir, *je fin*is, *fin*issant.

● Le 3e groupe comprend tous les autres verbes :
- Le verbe *aller.*
- Les verbes en **ir** qui n'ont pas l'indicatif présent en **is** et le participe présent en **issant** : *Cueill*ir, *part*ir.
- Les verbes terminés à l'infinitif en **oir** ou en **re** : *Recev*oir, *rend*re.

NOTA. Les verbes nouveaux sont presque tous du 1er groupe : *téléviser, atomiser, radiographier,* etc.; quelques-uns du 2e : *amerrir.*

Le 3e groupe avec ses quelque 350 verbes est une conjugaison morte. A la différence des deux premiers groupes qui sont de type régulier, c'est lui qui compte le plus grand nombre d'exceptions et d'irrégularités de toute la conjugaison française.
Pour les terminaisons propres à ces 3 groupes : voir tableau 5.

DE L'ACCORD DU VERBE AVEC LE SUJET

UN SEUL SUJET

RÈGLE : Le verbe s'accorde avec son sujet en nombre et en personne :
Pierre est là. Tu arrives. Nous partons. Ils reviendront.

Cas particuliers

● **Qui,** sujet, impose au verbe la personne de son antécédent : *C'est* **moi** *qui* **suis** *descendu le premier* et non *qui* **est** *descendu.*
Cependant, après les expressions *le premier qui, le seul qui,* le verbe peut toujours se mettre à la 3e personne :
Tu es le seul qui en **sois** *capable* ou *qui en* **soit** *capable.*

● **Verbes impersonnels.** Toujours au singulier, même si le sujet réel est au pluriel :

Il tombait de gros flocons de neige.

Cependant, si l'on doit dire : *c'est nous, c'est vous,* il est préférable de dire : *ce sont eux, c'étaient les enfants,* plutôt que *c'est eux, c'était les enfants.*

● **Noms collectifs.** Quand le sujet est un nom singulier du type *foule, multitude, infinité, troupe, groupe, nombre, partie, reste, majorité, dizaine, douzaine,* etc., suivi d'un complément de nom au pluriel, le verbe se met au singulier ou au pluriel selon que l'accent est mis sur l'ensemble ou au contraire sur les individus :

*Une **foule** de promeneurs **remplissait** l'avenue.*

*Un grand nombre de **spectateurs manifestèrent** bruyamment leur enthousiasme.*

● **Adverbes de quantité.** Quand le sujet est un adverbe tel que *beaucoup, peu, plus, moins, trop, assez, tant, autant, combien, que,* ou des locutions apparentées : *nombre de, quantité de, la plupart,* que ces mots soient suivis ou non d'un complément, le verbe se met au pluriel, à moins que le complément ne soit au singulier :

Beaucoup de candidats se présentèrent au concours, mais combien ont échoué!

Peu de monde était venu.

REMARQUE : *Le peu de* veut, selon la nuance de sens, le singulier ou le pluriel :

*Le peu d'efforts qu'il fait **explique** ses échecs* = la quantité insuffisante d'efforts.

*Le peu de mois qu'il vient de passer à la campagne lui **ont fait** beaucoup de bien* = les quelques mois.

Plus d'un veut paradoxalement le singulier, alors que *moins de deux* veut le pluriel :

*Plus d'un le **regrette** et pourtant moins de deux semaines seulement se **sont écoulées** depuis son départ.*

Un (e) des... qui veut d'habitude le pluriel mais c'est le sens qui décide si le véritable antécédent de **qui** est le pronom indéfini **un,** et alors le verbe se met au singulier, ou si c'est le complément partitif, et alors le verbe se met au pluriel :

C'est un des écrivains de la nouvelle école qui a obtenu le prix.

C'est un des rares romans intéressants qui aient paru cette année.

PLUSIEURS SUJETS

RÈGLE. S'il y a plusieurs sujets, le verbe se met au pluriel :

Mon père et mon oncle chassaient souvent ensemble.

Si les sujets sont de différentes personnes, la 2e l'emporte sur la 3e, et la 1re sur les deux autres :

François et toi, vous êtes en bons termes.

François et moi, nous sommes en bons termes.

CAS PARTICULIERS

1. Sujets coordonnés

- par **et** . Le pronom *l'un et l'autre* veut le pluriel mais le singulier est correct : *L'un et l'autre se disent,* ou moins couramment, *se dit.*

- par **ou,** par **ni.** Le verbe se met au singulier si les sujets s'excluent : *La crainte ou l'orgueil l'a paralysé. Ni l'un ni l'autre n'emportera le prix.*

Le verbe se met au pluriel si les sujets peuvent agir en même temps : *Ni l'oisiveté ni le luxe ne font le bonheur. La peur ou la misère ont fait commettre bien des fautes* (Ac.).

- par **comme, ainsi que, avec.** Le verbe se met au pluriel si ces mots équivalent à **et** : *Le latin comme le grec sont des langues anciennes.*
Le verbe se met au singulier si ces mots gardent leur valeur grammaticale propre : *Le latin, comme le grec, possède des déclinaisons* (comparaison).

2. Sujets juxtaposés ou coordonnés

- *désignant un être unique :* le verbe se met au singulier :
C'est l'année où mourut mon oncle et mon tuteur.

- *formant une gradation :* le verbe s'accorde avec le dernier terme; surtout si celui-ci récapitule tous les autres (en particulier *chacun, tout, aucun, nul, personne, rien...*) : *Femmes, moine, vieillards,* **tout** *était descendu.*

DE L'ACCORD DU PARTICIPE PASSÉ

1 PARTICIPE PASSÉ EMPLOYÉ SANS AUXILIAIRE

RÈGLE : Le participe passé employé sans auxiliaire s'accorde avec le nom (ou pronom) auquel il se rapporte comme un simple adjectif :
L'année passée. Des fleurs écloses. Vérification faite.

Cas particuliers

● *Attendu, y compris, non compris, excepté, supposé, vu,* etc.
- placés devant le nom sont traités comme des mots-outils et de ce fait sont invariables :
Excepté les petits enfants, toute la population de l'île fut massacrée.
- placés après le nom, ils sont sentis comme de vrais participes et s'accordent : *Les petits enfants exceptés...*

● *Étant donné* placé en tête peut s'accorder ou rester invariable :
Étant donné les circonstances ou *Étant données les circonstances...*
Mais on dira toujours : *Les circonstances étant données...*

● *Ci-joint, ci-inclus,* etc., devenus mots-outils, sont invariables en tête de phrase ou devant un nom sans article :
Ci-inclus la quittance. Vous trouverez ci-inclus copie de la lettre.
Après un nom, véritables participes, ils s'accordent :
Vous voudrez bien acquitter la facture ci-jointe.
Cependant l'accord est facultatif quand ils précèdent un nom accompagné de l'article :
Vous trouverez ci-inclus ou *ci-incluse la copie de la lettre.*

2   PARTICIPE PASSÉ EMPLOYÉ AVEC L'AUXILIAIRE ÊTRE

RÈGLE : Le participe passé conjugué avec l'auxiliaire *être* s'accorde en genre et en nombre avec le sujet du verbe : *Ces fables seront* **lues** *à haute voix.*
Nous étions **venus** *en toute hâte. Tant de sottises ont été* **faites.**

Cette règle vaut pour les temps composés de quelques verbes intransitifs à la forme active et pour tous les temps de tous les verbes à la forme passive. Pour les verbes pronominaux, voir ci-dessous, cas particuliers.

3   PARTICIPE PASSÉ EMPLOYÉ AVEC L'AUXILIAIRE AVOIR

RÈGLE : Le participe passé conjugué avec l'auxiliaire *avoir* s'accorde avec le complément d'objet direct placé avant le verbe. S'il n'y a pas de complément d'objet direct, ou si le complément d'objet direct est placé après le verbe, le participe passé reste invariable :
Je n'aurais jamais **fait** *les sottises qu'il a* **faites.**
As-tu **lu** *les journaux? Je les ai bien* **lus**. *J'ai* **lu** *trop rapidement.*

Cette règle vaut pour les temps composés de tous les verbes à la forme active, à part quelques verbes intransitifs signalés comme se conjuguant avec **être.**

4   CAS PARTICULIERS

● **Participes conjugués avec être**

Verbes pronominaux. Le participe passé des verbes essentiellement pronominaux de sens passif (cf. p. 6) se conjugue avec l'auxiliaire **être** et s'accorde tout à fait normalement avec le sujet :
Les paysans se sont **souvenus** *que l'an passé les foins s'étaient* **fauchés** *très tard (souvenus accordé avec paysans et fauchés accordé avec foins).*

Au contraire, pour les emplois réfléchis ou réciproques (cf. p. 6), l'auxiliaire **être** étant mis pour **avoir,** le participe passé s'accorde comme s'il était conjugué avec **avoir,** c'est-à-dire avec le complément d'objet direct placé avant :
La jeune fille s'est **regardée** *dans son miroir* (elle a regardé elle-même).
Les deux amis se sont **regardés** *longuement avant de se séparer* (ils ont regardé l'un l'autre mutuellement).

RÈGLE PRATIQUE : Toutes les fois que dans un verbe pronominal on peut remplacer l'auxiliaire **être** par l'auxiliaire **avoir,** on doit accorder le participe passé avec le complément d'objet direct s'il est placé avant (très souvent le pronom réfléchi), mais s'il n'y a pas de complément d'objet direct ou s'il est placé après, le participe passé reste invariable :
Ils se sont **lavés** *à l'eau froide* (ils ont lavé eux-mêmes : accord avec **se**).
Ils se sont **lavé** *les mains* (ils ont lavé les mains à eux-mêmes; le complément d'objet direct *mains* est placé après le verbe : pas d'accord).
Ils se sont **nui** (ils ont nui à eux-mêmes; **se** est complément d'objet indirect : pas d'accord).

Mais si on ne peut pas remplacer **être** par **avoir,** le participe passé s'accorde avec le sujet :
Elles se sont **repenties** *de leur étourderie.*
(On ne peut dire : elles ont repenti elles-mêmes : accord avec le sujet *elles*.)

REMARQUE. Le participe passé des verbes réfléchis suivants, dans lesquels **être** peut se remplacer par **avoir,** reste invariable parce qu'ils n'admettent pas de compléments d'objet direct : *se convenir, se nuire, se plaire, se complaire, se déplaire, se parler, se ressembler, se succéder, se suffire, se sourire, se rire, s'appartenir.* En revanche, bien que le verbe *s'arroger* soit inusité à la forme active, son participe passé s'accorde comme s'il était conjugué avec **avoir** :

    Les droits qu'il s'était **arrogés.**

● Participes conjugués avec avoir

1. Cas où le complément d'objet direct est :

a. *le pronom adverbial* **en,** signifiant *de lui, d'elle, d'eux, d'elles, de cela.* La règle généralement admise est de ne pas accorder le participe :

    Une bouteille de liqueur traînait par là : ils en ont **bu.**
    Des nouvelles de mon frère? Je n'en ai pas **reçu** *depuis longtemps.*

Lorsque **en** est associé à un adverbe de quantité tel que *combien, tant, plus, moins, beaucoup,* etc., les règles sont si byzantines et si contestées que le parti le plus sage est de laisser le participe toujours invariable :

    Des truites? Il en a tant **pris!** *Pas autant cependant qu'il en a* **manqué.**
    Combien en a-t-on **vu,** *je dis des plus huppés.* (Racine)
    J'en ai tant **vu,** *des rois.* (V. Hugo)

b. *le pronom personnel* **le.** Quand il a le sens de *cela* et représente toute une proposition, le participe passé est invariable :

    Cette équipe s'est adjugé facilement la victoire, comme je l'avais **pressenti.**

Mais lorsque **le** tient la place d'un nom, le participe s'accorde normalement :

    Cette victoire, je l'avais **pressentie.**

c. *un nom collectif* suivi d'un complément au pluriel *(une foule de gens),* un adverbe de quantité *(combien de gens),* les locutions *le peu de, un des... qui, plus d'un, moins de deux.* Il y a lieu, pour l'accord du participe passé, d'observer les mêmes règles qui régissent l'accord du verbe lorsque ces expressions sont sujet (voir p. 7).

2. Verbes impersonnels

Le participe passé est toujours invariable :

    Les énormes grêlons qu'il est **tombé.**

En particulier *eu, fait, fallu* ne s'accordent jamais dans les phrases suivantes :

    Les gelées qu'il a **fait.** *Les accidents qu'il y a* **eu.**
    La ténacité qu'il lui a **fallu.**

3. Verbes tantôt transitifs, tantôt intransitifs

Les participes **valu, coûté, pesé, couru, vécu,** sont invariables quand le verbe est employé au sens propre (intransitif), mais s'accordent avec le complément d'objet placé avant, quand ils sont employés au sens figuré (transitif) :

    Les millions que cette maison a **coûté** (elle a coûté combien?)
mais *Les soucis que cette maison nous a* **coûtés** (elle nous a coûté quoi?).

4. Participes passés suivis d'un infinitif

a. *vu, regardé, aperçu, entendu, écouté, senti* (verbes de perception), *envoyé, amené, laissé,* suivis d'un infinitif, tantôt s'accordent et tantôt sont invariables.

Si le nom (ou le pronom) qui précède est sujet de l'infinitif, ce nom est senti comme complément d'objet direct du participe et celui-ci s'accorde :
> *La pianiste que j'ai* **entendue** *jouer.*

(j'ai entendu qui? - La·pianiste faisant l'action de jouer); le complément d'objet direct *que*, mis pour *la pianiste*, est placé avant : on accorde.

Si le nom (ou le pronom) qui précède est complément d'objet et non sujet de l'infinitif, le participe reste invariable puisqu'il a comme complément l'infinitif lui-même :
> *La sonate que j'ai* **entendu** *jouer.*

(j'ai entendu quoi? - jouer; jouer quoi? - la sonate); le complément d'objet direct *jouer* est placé après : on n'accorde pas.

b. *dit, pensé, cru* suivis d'un infinitif sont toujours invariables :
> *Il a perdu la bague qu'il m'avait* **dit** *lui venir de sa mère.*

Et non : *qu'il m'avait dite* car le complément d'objet direct de *avoir dit* est toute la proposition (il m'avait dit quoi? - que sa bague lui venait de sa mère).

c. *fait* suivi d'un infinitif est toujours invariable car il forme avec l'infinitif une expression verbale indissociable :
> *Les soupçons qu'il a* **fait** *naître.*

(*que*, mis pour *soupçons*, est complément d'objet direct de *a fait naître* et non de *a fait* seul).

Pour une raison semblable, *laissé* suivi d'un infinitif, particulièrement dans les locutions *laisser dire, laisser faire, laisser aller,* peut ne pas s'accorder même quand le nom (ou le pronom) qui précède est sujet de l'infinitif :
> *Quelle indulgence pour ses petits-enfants! Il les a* **laissé** *jouer avec sa montre et il ne les a pas* **laissé** *gronder.*

On peut, il est vrai, écrire : *il les a* **laissés** *jouer* si, détachant le verbe *laisser* du verbe *jouer,* on comprend : *il leur a permis de jouer avec sa montre.* Mais le deuxième participe *laissé* est obligatoirement invariable puisqu'en aucun cas *les* ne peut être sujet de *gronder.*

d. *eu à, donné à, laissé à* suivis d'un infinitif s'accordent ou restent invariables, selon que le nom (ou le pronom) qui précède est senti ou non comme le complément d'objet direct du participe :
> *Les problèmes qu'il a* **eu** *à résoudre.*

(il a été tenu de quoi? - de résoudre les problèmes).
> *L'auto qu'on lui avait* **donnée** *à réparer.*

(on lui avait donné quoi? - l'auto en vue d'une réparation). Mais ces distinctions sont parfois bien subtiles et l'accord est facultatif.

e. *pu, dû, voulu* sont invariables, quand leur complément d'objet direct est un infinitif ou toute une proposition sous-entendue :
> *J'ai fait tous les efforts que j'ai* **pu** *(faire),*
> *mais je n'ai pas eu tous les succès qu'il aurait* **voulu** *(que j'eusse).*

Ne tolérant pas d'autre emploi, **pu** est toujours invariable.

2
Tableaux de conjugaison
des verbes types

(tableau synoptique   p. 14 et 15)

LES TABLEAUX DE CONJUGAISON

TABLEAUX GÉNÉRAUX

1	Auxiliaire avoir	**4**	Forme pronominale (se méfier)
2	Auxiliaire être	**5**	Les terminaisons
3	Forme passive (être aimé)		des trois groupes de verbes
		6	Forme active (aimer)

PREMIER GROUPE (verbes en -ER)

6	aimer	**-er**	**13**	créer	**-éer**
7	placer	**-cer**	**14**	assiéger	**-éger**
8	manger	**-ger**	**15**	apprécier	**-ier**
9	peser	**-e(.)er**	**16**	payer	**-ayer**
10	céder	**-é(.)er**	**17**	broyer	**-oyer/uyer**
11	jeter	**-eler/eter I**	**18**	envoyer	**—**
12	modeler	**-eler/eter II**			

DEUXIÈME GROUPE (verbes en -IR/ISSANT)

19	finir	**-ir**	**20**	haïr	**—**

TROISIÈME GROUPE

21	Généralités		**22**	aller

1ʳᵉ section (verbes en -IR/ANT)

23	tenir	**-enir**	**31**	bouillir	**-llir**
24	acquérir	**-érir**	**32**	dormir	**-mir**
25	sentir	**-tir**	**33**	courir	**-rir**
26	vêtir	**—**	**34**	mourir	**—**
27	couvrir	**-vrir/frir**	**35**	servir	**-vir**
28	cueillir	**-llir**	**36**	fuir	**-uir**
29	assaillir	**—**	**37**	ouïr, gésir	
30	faillir	**—**			

2e section (verbes en -OIR)

38	recevoir	-cevoir		46	falloir	-loir
39	voir	-voir		47	valoir	—
40	pourvoir	—		48	vouloir	—
41	savoir	—		49	asseoir	-seoir
42	devoir	—		50	seoir, messeoir	—
43	pouvoir	—		51	surseoir	—
44	mouvoir	—		52	choir, échoir, déchoir	
45	pleuvoir	—				

3e section (verbes en -RE)

53	rendre	-andre/endre/ondre -erdre/ordre		68	croire	-oire
54	prendre	—		69	boire	—
55	battre	-attre		70	clore	-ore
56	mettre	-ettre		71	conclure	-ure
57	peindre	-eindre		72	absoudre	-oudre
58	joindre	-oindre		73	coudre	—
59	craindre	-aindre		74	moudre	—
60	vaincre			75	suivre	-ivre
61	traire	-aire		76	vivre	—
62	faire	—		77	lire	-ire
63	plaire	—		78	dire	—
64	connaître	-aître		79	rire	—
65	naître	—		80	écrire	—
66	paître	—		81	confire	—
67	croître	-oître		82	cuire	-uire

Pour savoir avec quel auxiliaire se conjugue un verbe, se reporter au dictionnaire orthographique p. 101 à 157.

1 VERBE **AVOIR**

Avoir est verbe transitif quand il a un complément d'objet direct : *J'ai un beau livre.*
Mais le plus souvent il sert d'auxiliaire pour tous les verbes à la forme active sauf
pour quelques verbes intransitifs qui dans la liste alphabétique sont suivis du signe ♦ :
J'**ai** *acheté un livre ;* mais : Je **suis** *venu en toute hâte.*

INDICATIF

Présent		Passé composé		
j'	ai	j'	ai	eu
tu	as	tu	as	eu
il	a	il	a	eu
nous	avons	n.	avons	eu
vous	avez	v.	avez	eu
ils	ont	ils	ont	eu

Imparfait		Plus-que-parfait		
j'	avais	j'	avais	eu
tu	avais	tu	avais	eu
il	avait	il	avait	eu
nous	avions	n.	avions	eu
vous	aviez	v.	aviez	eu
ils	avaient	ils	avaient	eu

Passé simple		Passé antérieur		
j'	eus	j'	eus	eu
tu	eus	tu	eus	eu
il	eut	il	eut	eu
nous	eûmes	n.	eûmes	eu
vous	eûtes	v.	eûtes	eu
ils	eurent	ils	eurent	eu

Futur simple		Futur antérieur		
j'	aurai	j'	aurai	eu
tu	auras	tu	auras	eu
il	aura	il	aura	eu
nous	aurons	n.	aurons	eu
vous	aurez	v.	aurez	eu
ils	auront	ils	auront	eu

SUBJONCTIF

Présent		Passé		
que j'	aie	que j'	aie	eu
que tu	aies	que tu	aies	eu
qu'il	ait	qu'il	ait	eu
que n.	ayons	que n.	ayons	eu
que v.	ayez	que v.	ayez	eu
qu'ils	aient	qu'ils	aient	eu

Imparfait		Plus-que-parfait		
que j'	eusse	que j'	eusse	eu
que tu	eusses	que tu	eusses	eu
qu'il	eût	qu'il	eût	eu
que n.	eussions	que n.	eussions	eu
que v.	eussiez	que v.	eussiez	eu
qu'ils	eussent	qu'ils	eussent	eu

IMPÉRATIF

Présent	Passé	
aie	aie	eu
ayons	ayons	eu
ayez	ayez	eu

CONDITIONNEL

Présent		Passé 1re forme		
j'	aurais	j'	aurais	eu
tu	aurais	tu	aurais	eu
il	aurait	il	aurait	eu
n.	aurions	n.	aurions	eu
v.	auriez	v.	auriez	eu
ils	auraient	ils	auraient	eu

Passé 2e forme		
j'	eusse	eu
tu	eusses	eu
il	eût	eu
n.	eussions	eu
v.	eussiez	eu
ils	eussent	eu

INFINITIF

Présent	Passé
avoir	avoir eu

PARTICIPE

Présent	Passé
ayant	eu, eue
	ayant eu

Être sert d'auxiliaire : 1. à tous les verbes passifs; 2. à tous les verbes pronominaux;
3. à quelques verbes intransitifs qui dans la liste alphabétique sont suivis du signe ♦ .
Certains verbes se conjuguent tantôt avec **être**, tantôt avec **avoir**, ils sont affectés du
signe ♦ . Le participe **été** est toujours invariable.

INDICATIF

Présent		*Passé composé*	
je	suis	j' ai	été
tu	es	tu as	été
il	est	il a	été
nous	sommes	n. avons	été
vous	êtes	v. avez	été
ils	sont	ils ont	été

Imparfait		*Plus-que-parfait*	
j'	étais	j' avais	été
tu	étais	tu avais	été
il	était	il avait	été
nous	étions	n. avions	été
vous	étiez	v. aviez	été
ils	étaient	ils avaient	été

Passé simple		*Passé antérieur*	
je	fus	j' eus	été
tu	fus	tu eus	été
il	fut	il eut	été
nous	fûmes	n. eûmes	été
vous	fûtes	v. eûtes	été
ils	furent	ils eurent	été

Futur simple		*Futur antérieur*	
je	serai	j' aurai	été
tu	seras	tu auras	été
il	sera	il aura	été
nous	serons	n. aurons	été
vous	serez	v. aurez	été
ils	seront	ils auront	été

SUBJONCTIF

Présent	*Passé*	
que je sois	que j' aie	été
que tu sois	que tu aies	été
qu'il soit	qu'il ait	été
que n. soyons	que n. ayons	été
que v. soyez	que v. ayez	été
qu'ils soient	qu'ils aient	été

Imparfait	*Plus-que-parfait*	
que je fusse	que j' eusse	été
que tu fusses	que tu eusses	été
qu'il fût	qu'il eût	été
que n. fussions	que n. eussions	été
que v. fussiez	que v. eussiez	été
qu'ils fussent	qu'ils eussent	été

IMPÉRATIF

Présent	*Passé*	
sois	aie	été
soyons	ayons	été
soyez	ayez	été

CONDITIONNEL

Présent		*Passé 1re forme*	
je	serais	j' aurais	été
tu	serais	tu aurais	été
il	serait	il aurait	été
n.	serions	n. aurions	été
v.	seriez	v. auriez	été
ils	seraient	ils auraient	été

Passé 2e forme		
j'	eusse	été
tu	eusses	été
il	eût	été
n.	eussions	été
v.	eussiez	été
ils	eussent	été

INFINITIF

Présent	*Passé*
être	avoir été

PARTICIPE

Présent	*Passé*
étant	été
	ayant été

3 ÊTRE AIMÉ conjugaison type de la forme passive

INDICATIF

Présent		Passé composé		
je suis	aimé	j' ai	été	aimé
tu es	aimé	tu as	été	aimé
il est	aimé	il a	été	aimé
n. sommes	aimés	n. avons	été	aimés
v. êtes	aimés	v. avez	été	aimés
ils sont	aimés	ils ont	été	aimés

Imparfait		Plus-que-parfait		
j' étais	aimé	j' avais	été	aimé
tu étais	aimé	tu avais	été	aimé
il était	aimé	il avait	été	aimé
n. étions	aimés	n. avions	été	aimés
v. étiez	aimés	v. aviez	été	aimés
ils étaient	aimés	ils avaient	été	aimés

Passé simple		Passé antérieur		
je fus	aimé	j' eus	été	aimé
tu fus	aimé	tu eus	été	aimé
il fut	aimé	il eut	été	aimé
n. fûmes	aimés	n. eûmes	été	aimés
v. fûtes	aimés	v. eûtes	été	aimés
ils furent	aimés	ils eurent	été	aimés

Futur simple		Futur antérieur		
je serai	aimé	j' aurai	été	aimé
tu seras	aimé	tu auras	été	aimé
il sera.	aimé	il aura	été	aimé
n. serons	aimés	n. aurons	été	aimés
v. serez	aimés	v. aurez	été	aimés
ils seront	aimés	ils auront	été	aimés

SUBJONCTIF

Présent		Passé		
que je sois	aimé	que j' aie	été	aimé
que tu sois	aimé	que tu aies	été	aimé
qu'il soit	aimé	qu'il ait	été	aimé
que n. soyons	aimés	que n. ayons	été	aimés
que v. soyez	aimés	que v. ayez	été	aimés
qu'ils soient	aimés	qu'ils aient	été	aimés

Imparfait		Plus-que-parfait		
que je fusse	aimé	que j' eusse	été	aimé
que tu fusses	aimé	que tu eusses	été	aimé
qu'il fût	aimé	qu'il eût	été	aimé
que n. fussions	aimés	que n. eussions	été	aimés
que v. fussiez	aimés	que v. eussiez	été	aimés
qu'ils fussent	aimés	qu'ils eussent	été	aimés

IMPÉRATIF

Présent	Passé
sois aimé	*inusité*
soyons aimés	
soyez aimés	

CONDITIONNEL

Présent		Passé 1re forme		
je serais	aimé	j' aurais	été	aimé
tu serais	aimé	tu aurais	été	aimé
il serait	aimé	il aurait	été	aimé
n. serions	aimés	n. aurions	été	aimés
v. seriez	aimés	v. auriez	été	aimés
ils seraient	aimés	ils auraient	été	aimés

	Passé 2e forme		
	j' eusse	été	aimé
	tu eusses	été	aimé
	il eût	été	aimé
	n. eussions	été	aimés
	v. eussiez	été	aimés
	ils eussent	été	aimés

INFINITIF

Présent	Passé
être aimé	avoir été aimé

PARTICIPE

Présent	Passé
étant aimé	aimé, ée
	ayant été aimé

Le participe passé du verbe à la forme passive s'accorde toujours avec le sujet : *elle est aimée.*

conjugaison type de la forme pronominale[1] SE MÉFIER 4

|

INDICATIF

Présent		Passé composé		
je me	méfie	je me	suis	méfié
tu te	méfies	tu t'	es	méfié
il se	méfie	il s'	est	méfié
n. n.	méfions	n. n.	sommes	méfiés
v. v.	méfiez	v. v.	êtes	méfiés
ils se	méfient	ils se	sont	méfiés

Imparfait		Plus-que-parfait		
je me	méfiais	je m'	étais	méfié
tu te	méfiais	tu t'	étais	méfié
il se	méfiait	il s'	était	méfié
n. n.	méfiions	n. n.	étions	méfiés
v. v.	méfiiez	v. v.	étiez	méfiés
ils se	méfiaient	ils s'	étaient	méfiés

Passé simple		Passé antérieur		
je me	méfiai	je me	fus	méfié
tu te	méfias	tu te	fus	méfié
il se	méfia	il se	fut	méfié
n. n.	méfiâmes	n. n.	fûmes	méfiés
v. v.	méfiâtes	v. v.	fûtes	méfiés
ils se	méfièrent	ils se	furent	méfiés

Futur simple		Futur antérieur		
je me	méfierai	je me	serai	méfié
tu te	méfieras	tu te	seras	méfié
il se	méfiera	il se	sera	méfié
n. n.	méfierons	n. n.	serons	méfiés
v. v.	méfierez	v. v.	serez	méfiés
ils se	méfieront	ils se	seront	méfiés

SUBJONCTIF

Présent		Passé		
que je me	méfie	que je me	sois	méfié
que tu te	méfies	que tu te	sois	méfié
qu'il se	méfie	qu'il se	soit	méfié
que n. n.	méfiions	que n. n.	soyons	méfiés
que v. v.	méfiiez	que v. v.	soyez	méfiés
qu'ils se	méfient	qu'ils se	soient	méfiés

Imparfait		Plus-que-parfait		
que je me	méfiasse	que je me	fusse	méfié
que tu te	méfiasses	que tu te	fusses	méfié
qu'il se	méfiât	qu'il se	fût	méfié
que n. n.	méfiassions	que n. n.	fussions	méfiés
que v. v.	méfiassiez	que v. v.	fussiez	méfiés
qu'ils se	méfiassent	qu'ils se	fussent	méfiés

IMPÉRATIF

Présent	Passé
méfie-toi	inusité
méfions-nous	
méfiez-vous	

CONDITIONNEL

Présent		Passé 1re forme		
je me	méfierais	je me	serais	méfié
tu te	méfierais	tu te	serais	méfié
il se	méfierait	il se	serait	méfié
n. n.	méfierions	n. n.	serions	méfiés
v. v.	méfieriez	v. v.	seriez	méfiés
ils se	méfieraient	ils se	seraient	méfiés

Passé 2e forme		
je me	fusse	méfié
tu te	fusses	méfié
il se	fût	méfié
n. n.	fussions	méfiés
v. v.	fussiez	méfiés
ils se	fussent	méfiés

INFINITIF

Présent	Passé
se méfier	s'être méfié

PARTICIPE

Présent	Passé
se méfiant	s'étant méfié

1. Dans les emplois notés **P** dans le dictionnaire (p. 101), le participe passé s'accorde. Dans les emplois notés P , le participe passé est invariable (**ils se sont nui**).
Les verbes réciproques ne s'emploient qu'au pluriel (*ils s'entre-tuèrent au lieu de s'entraider*).

5 LES TERMINAISONS DES TROIS GROUPES DE VERBES

		1er	2e	3e groupe		1er	2e	3e groupe	

INDICATIF Présent — SUBJONCTIF Présent

		1er	2e	3e groupe		SUBJ 1er	2e	3e	
1 S		e[1]	is	s (x[3])	e[5]	e	isse	e	
2 S		es	is	s (x[3])	es[5]	es	isses	es	
3 S		e	it	t (d[4])	e[5]	e	isse	e	
1 P		ons	issons	ons	ons	ions	issions	ions	
2 P		ez	issez	ez	ez	iez	issiez	iez	
3 P		ent	issent	ent (nt[2])	ent	ent	issent	ent	

INDICATIF Imparfait — SUBJONCTIF Imparfait [6]

		1er	2e	3e		asse	isse[7]	isse[7]	usse[7]
1 S		ais	issais	ais		asse	isse[7]	isse[7]	usse[7]
2 S		ais	issais	ais		asses	isses	isses	usses
3 S		ait	issait	ait		ât	ît	ît	ût
1 P		ions	issions	ions		assions	issions	issions	ussions
2 P		iez	issiez	iez		assiez	issiez	issiez	ussiez
3 P		aient	issaient	aient		assent	issent	issent	ussent

INDICATIF Passé simple — IMPÉRATIF Présent

		1er	2e	3e			1er	2e	3e
1 S		ai	is	is[7]	us[7]				
2 S		as	is	is	us	e	is	s	e[5]
3 S		a	it	it	ut				
1 P		âmes	îmes	îmes	ûmes	ons	issons	ons	ons
2 P		âtes	îtes	îtes	ûtes	ez	issez	ez	ez
3 P		èrent	irent	irent	urent				

INDICATIF Futur simple — CONDITIONNEL Présent

		1er	2e	3e		1er	2e	3e
1 S		erai	irai	. . .rai	erais	irais	. . .rais
2 S		eras	iras	. . .ras	erais	irais	. . .rais
3 S		era	ira	. . .ra	erait	irait	. . .rait
1 P		erons	irons	. . .rons	erions	irions	. . .rions
2 P		erez	irez	. . .rez	eriez	iriez	. . .riez
3 P		eront	iront	. . .ront	eraient	iraient	. . .raient

Modes	INFINITIF Présent	er	ir	ir; oir; re
impersonnels	PARTICIPE Présent [8]	ant	issant	ant
	PARTICIPE Passé	é	i	i (is, it); u (us); t; s

1. Forme interrogative : devant **je** inversé, **e** final s'écrit **é** et se prononce **è** ouvert : *aimé-je ? acheté-je ?*

2. Ont la finale **-ont** : ils sont, ils ont, ils font, ils vont.

3. Seulement dans *je peux, tu peux; je veux, tu veux; je vaux, tu vaux.*

4. Ont la finale **d** : les verbes en **dre** (sauf ceux en **...indre** et **soudre** qui prennent un **t**).

5. Ainsi *assaillir, couvrir, cueillir, défaillir, offrir, ouvrir, souffrir, tressaillir,* et, à l'impératif seulement, *avoir, savoir, vouloir* (aie, sache, veuille).

6. Remarquons que pour tous les verbes français, ce temps est formé à partir de la 2e personne du passé simple de l'indicatif.

7. Sauf *je vins*, etc., *je tins*, etc.; *que je vinsse*, etc., *que je tinsse*, etc.; et leurs composés.

8. Les verbes « météorologiques » (neiger, pleuvoir, etc.) ne tolèrent de participe présent que dans le sens figuré.

conjugaison type de la forme active¹ VERBES EN **-ER : AIMER**

INDICATIF

Présent

j'	aim e
tu	aim es
il	aim e
nous	aim ons
vous	aim ez
ils	aim ent

Passé composé

j'	ai	aimé
tu	as	aimé
il	a	aimé
n.	avons	aimé
v.	avez	aimé
ils	ont	aimé

Imparfait

j'	aim ais
tu	aim ais
il	aim ait ·
nous	aim ions
vous	aim iez
ils	aim aient

Plus-que-parfait

j'	avais	aimé
tu	avais	aimé
il	avait	aimé
n.	avions	aimé
v.	aviez	aimé
ils	avaient	aimé

Passé simple

j'	aim ai
tu	aim as
il	aim a
nous	aim âmes
vous	aim âtes
ils	aim èrent

Passé antérieur

j'	eus	aimé
tu	eus	aimé
il	eut	aimé
n.	eûmes	aimé
v.	eûtes	aimé
ils	eurent	aimé

Futur simple

j'	aim erai
tu	aim eras
il	aim era
nous	aim erons
vous	aim erez
ils	aim eront

Futur antérieur

j'	aurai	aimé
tu	auras	aimé
il	aura	aimé
n.	aurons	aimé
v.	aurez	aimé
ils	auront	aimé

SUBJONCTIF

Présent

que j'	aim e
que tu	aim es
qu'il	aim e
que n.	aim ions
que v.	aim iez
qu'ils	aim ent

Passé

que j'	aie	aimé
que tu	aies	aimé
qu'il	ait	aimé
que n.	ayons	aimé
que v.	ayez	aimé
qu'ils	aient	aimé

Imparfait

que j'	aim asse
que tu	aim asses
qu'il	aim ât
que n.	aim assions
que v.	aim assiez
qu'ils	aim assent

Plus-que-parfait

que j'	eusse	aimé
que tu	eusses	aimé
qu'il	eût	aimé
que n.	eussions	aimé
que v.	eussiez	aimé
qu'ils	eussent	aimé

IMPÉRATIF

Présent

| aim e |
| aim ons |
| aim ez |

Passé

aie	aimé
ayons	aimé
ayez	aimé

CONDITIONNEL

Présent

j'	aim erais
tu	aim erais
il	aim erait
n.	aim erions
v.	aim eriez
ils	aim eraient

Passé 1ʳᵉ forme

j'	aurais	aimé
tu	aurais	aimé
il	aurait	aimé
n.	aurions	aimé
v.	auriez	aimé
ils	auraient	aimé

Passé 2ᵉ forme

j'	eusse	aimé
tu	eusses	aimé
il	eût	aimé
n.	eussions	aimé
v.	eussiez	aimé
ils	eussent	aimé

INFINITIF

Présent

aim er

Passé

avoir aimé

PARTICIPE

Présent

aimant

Passé

aimé, ée
ayant aimé

1. Pour les verbes qui, à la forme active, forment leurs temps composés avec l'auxiliaire **être,** voir la conjugaison du verbe **aller** (tableau 22) ou **mourir** (tableau 34).

7 VERBES EN -CER : PLACER

Les verbes en -cer prennent une **cédille** sous le **c** devant les voyelles **a** et **o** : *Commençons, tu commenças,* pour conserver au **c** le son doux.

Nota : Pour les verbes en **-écer,** voir aussi **10.**

INDICATIF

Présent		Passé composé		
je	pla ce	j'	ai	placé
tu	pla ces	tu	as	placé
il	pla ce	il	a	placé
nous	pla çons	n.	avons	placé
vous	pla cez	v.	avez	placé
ils	pla cent	ils	ont	placé

Imparfait		Plus-que-parfait		
je	pla çais	j'	avais	placé
tu	pla çais	tu	avais	placé
il	pla çait	il	avait	placé
nous	pla cions	n.	avions	placé
vous	pla ciez	v.	aviez	placé
ils	pla çaient	ils	avaient	placé

Passé simple		Passé antérieur		
je	pla çai	j'	eus	placé
tu	plaças	tu	eus	placé
il	pla ça	il	eut	placé
nous	pla çâmes	n.	eûmes	placé
vous	pla çâtes	v.	eûtes	placé
ils	pla cèrent	ils	eurent	placé

Futur simple		Futur antérieur		
je	pla cerai	j'	aurai	placé
tu	pla ceras	tu	auras	placé
il	pla cera	il	aura	placé
nous	pla cerons	n.	aurons	placé
vous	pla cerez	v.	aurez	placé
ils	pla ceront	ils	auront	placé

INFINITIF

Présent	Passé
pla cer	avoir placé

PARTICIPE

Présent	Passé
pla çant	pla cé, ée
	ayant placé

SUBJONCTIF

Présent		Passé		
que je	pla ce	que j'	aie	placé
que tu	pla ces	que tu	aies	placé
qu'il	pla ce	qu'il	ait	placé
que n.	pla cions	que n.	ayons	placé
que v.	pla ciez	que v.	ayez	placé
qu'ils	pla cent	qu'ils	aient	placé

Imparfait		Plus-que-parfait		
que je	pla çasse	que j'	eusse	placé
que tu	pla çasses	que tu	eusses	placé
qu'il	pla çât	qu'il	eût	placé
que n.	pla çassions	que n.	eussions	placé
que v.	pla çassiez	que v.	eussiez	placé
qu'ils	pla çassent	qu'ils	eussent	placé

IMPÉRATIF

Présent	Passé	
pla ce	aie	placé
pla çons	ayons	placé
pla cez	ayez	placé

CONDITIONNEL

Présent		Passé 1ʳᵉ forme		
je	pla cerais	j'	aurais	placé
tu	pla cerais	tu	aurais	placé
il	pla cerait	il	aurait	placé
n.	pla cerions	n.	aurions	placé
v.	pla ceriez	v.	auriez	placé
ils	pla ceraient	ils	auraient	placé

Passé 2ᵉ forme		
j'	eusse	placé
tu	eusses	placé
il	eût	placé
n.	eussions	placé
v.	eussiez	placé
ils	eussent	placé

Les verbes en -**ger** conservent l'**e** après le **g** devant les voyelles **a** et **o** : *Nous jugeons,* *tu jugeas,* pour maintenir partout le son du **g** doux. (Bien entendu, les verbes en -**guer** conservent le **u** à toutes les formes.)

INDICATIF

Présent		Passé composé	
je	man ge	j' ai	mangé
tu	man ges	tu as	mangé
il	man ge	il a	mangé
nous	man geons	n. avons	mangé
vous	man gez	v. avez	mangé
ils	man gent	ils ont	mangé

Imparfait		Plus-que-parfait	
je	man geais	j' avais	mangé
tu	man geais	tu avais	mangé
il	man geait	il avait	mangé
nous	man gions	n. avions	mangé
vous	man giez	v. aviez	mangé
ils	man geaient	ils avaient	mangé

Passé simple		Passé antérieur	
je	man geai	j' eus	mangé
tu	man geas	tu eus	mangé
il	man gea	il eut	mangé
nous	man geâmes	n. eûmes	mangé
vous	man geâtes	v. eûtes	mangé
ils	man gèrent	ils eurent	mangé

Futur simple		Futur antérieur	
je	man gerai	j' aurai	mangé
tu	man geras	tu auras	mangé
il	man gera	il aura	mangé
nous	man gerons	n. aurons	mangé
vous	man gerez	v. aurez	mangé
ils	man geront	ils auront	mangé

INFINITIF

Présent	Passé
man ger	avoir mangé

SUBJONCTIF

Présent		Passé	
que je	man ge	que j' aie	mangé
que tu	man ges	que tu aies	mangé
qu'il	man ge	qu'il ait	mangé
que n.	man gions	que n. ayons	mangé
que v.	man giez	que v. ayez	mangé
qu'ils	man gent	qu'ils aient	mangé

Imparfait		Plus-que-parfait	
que je	man geasse	que j' eusse	mangé
que tu	man geasses	que tu eusses	mangé
qu'il	man geât	qu'il eût	mangé
que n.	man geassions	que n. eussions	mangé
que v.	man geassiez	que v. eussiez	mangé
qu'ils	man geassent	qu'ils eussent	mangé

IMPÉRATIF

Présent	Passé	
man ge	aie	mangé
man geons	ayons	mangé
man gez	ayez	mangé

CONDITIONNEL

Présent	Passé 1re forme	
je man gerais	j' aurais	mangé
tu man gerais	tu aurais	mangé
il man gerait	il aurait	mangé
n. man gerions	n. aurions	mangé
v. man geriez	v. auriez	mangé
ils man geraient	ils auraient	mangé

Passé 2e forme	
j' eusse	mangé
tu eusses	mangé
il eût	mangé
n. eussions	mangé
v. eussiez	mangé
ils eussent	mangé

PARTICIPE

Présent	Passé
man geant	man gé, ée
	ayant mangé

9 VERBES EN E(.)ER : PESER

Verbes ayant un **e muet** (e) à l'avant-dernière syllabe de l'infinitif

Verbes en **-ecer, -emer, -ener, -eper, -erer, -eser, -ever, -evrer.**
Ces verbes qui ont un e muet à l'avant-dernière syllabe de l'infinitif, comme **lever**, changent l'**e muet** en **è ouvert** devant une syllabe muette, y compris devant les terminaisons *erai..., erais...,* du futur et du conditionnel : *je lève, je lèverai.*
Nota. Pour les verbes en **-eler, -eter,** voir **11** et **12**.

INDICATIF

Présent	Passé composé
je p èse	j' ai pesé
tu p èses	tu as pesé
il p èse	il a pesé
nous p esons	n. avons pesé
vous p esez	v. avez pesé
ils p èsent	ils ont pesé

Imparfait	Plus-que-parfait
je p esais	j' avais pesé
tu p esais	tu avais pesé
il p esait	il avait pesé
nous p esions	n. avions pesé
vous p esiez	v. aviez pesé
ils p esaient	ils avaient pesé

Passé simple	Passé antérieur
je p esai	j' eus pesé
tu p esas	tu eus pesé
il p esa	il eut pesé
nous p esâmes	n. eûmes pesé
vous p esâtes	v. eûtes pesé
ils p esèrent	ils eurent pesé

Futur simple	Futur antérieur
je p èserai	j' aurai pesé
tu p èseras	tu auras pesé
il p èsera	il aura pesé
nous p èserons	n. aurons pesé
vous p èserez	v. aurez pesé
ils p èseront	ils auront pesé

SUBJONCTIF

Présent	Passé
que je p èse	que j' aie pesé
que tu p èses	que tu aies pesé
qu'il p èse	qu'il ait pesé
que n. p esions	que n. ayons pesé
que v. p esiez	que v. ayez pesé
qu'ils p èsent	qu'ils aient pesé

Imparfait	Plus-que-parfait
que je p esasse	que j' eusse pesé
que tu p esasses	que tu eusses pesé
qu'il p esât	qu'il eût pesé
que n. p esassions	que n. eussions pesé
que v. p esassiez	que v. eussiez pesé
qu'ils p esassent	qu'ils eussent pesé

IMPÉRATIF

Présent	Passé
p èse	aie pesé
p esons	ayons pesé
p esez	ayez pesé

CONDITIONNEL

Présent	Passé 1ʳᵉ forme
je p èserais	j' aurais pesé
tu p èserais	tu aurais pesé
il p èserait	il aurait pesé
n. p èserions	n. aurions pesé
v. p èseriez	v. auriez pesé
ils p èseraient	ils auraient pesé

Passé 2ᵉ forme	
j' eusse pesé
tu eusses pesé
il eût pesé
n. eussions pesé
v. eussiez pesé
ils eussent pesé

INFINITIF

Présent	Passé
p eser	avoir pesé

PARTICIPE

Présent	Passé
p esant	p esé, ée
	ayant pesé

Verbes ayant un **é fermé** (é) à l'avant-dernière syllabe de l'infinitif

Verbes en : **-ébrer, -écer, -écher, -écrer, -éder, -égler, -égner, -égrer, -éguer, -éler, -émer, -éner, -éper, -équer, -érer, -éser, -éter, -étrer, -évrer, -éyer**, etc.
Ces verbes qui ont un **é** fermé à l'avant-dernière syllabe de l'infinitif changent l'**é fermé** en **è ouvert** devant une syllabe muette finale : *Je cède.*
Au futur et au conditionnel, ces verbes conservent l'**é fermé** : *Je céderai, tu céderais,* malgré la tendance à prononcer cet **é** de plus en plus ouvert.

INDICATIF

Présent		Passé composé		
je	c ède	j' ai	cédé	
tu	c èdes	tu as	cédé	
il	c ède	il a	cédé	
nous	c édons	n. avons	cédé	
vous	c édez	v. avez	cédé	
ils	c èdent	ils ont	cédé	

Imparfait		Plus-que-parfait		
je	c édais	j' avais	cédé	
tu	c édais	tu avais	cédé	
il	c édait	il avait	cédé	
nous	c édions	n. avions	cédé	
vous	c édiez	v. aviez	cédé	
ils	c édaient	ils avaient	cédé	

Passé simple		Passé antérieur		
je	c édai	j' eus	cédé	
tu	c édas	tu eus	cédé	
il	c éda	il eut	cédé	
nous	c édâmes	n. eûmes	cédé	
vous	c édâtes	v. eûtes	cédé	
ils	c édèrent	ils eurent	cédé	

Futur simple		Futur antérieur		
je	c éderai	j' aurai	cédé	
tu	c éderas	tu auras	cédé	
il	c édera	il aura	cédé	
nous	c éderons	n. aurons	cédé	
vous	c éderez	v. aurez	cédé	
ils	c éderont	ils auront	cédé	

SUBJONCTIF

Présent		Passé		
que je	c ède	que j' aie	cédé	
que tu	c èdes	que tu aies	cédé	
qu'il	c ède	qu'il ait	cédé	
que n.	c édions	que n. ayons	cédé	
que v.	c édiez	que v. ayez	cédé	
qu'ils	c èdent	qu'ils aient	cédé	

Imparfait		Plus-que-parfait		
que je	c édasse	que j' eusse	cédé	
que tu	c édasses	que tu eusses	cédé	
qu'il	c édât	qu'il eût	cédé	
que n.	c édassions	que n. eussions	cédé	
que v.	c édassiez	que v. eussiez	cédé	
qu'ils	c édassent	qu'ils eussent	cédé	

IMPÉRATIF

Présent	Passé	
c ède	aie	cédé
c édons	ayons	cédé
c édez	ayez	cédé

CONDITIONNEL

Présent		Passé 1ʳᵉ forme		
je	c éderais	j' aurais	cédé	
tu	c éderais	tu aurais	cédé	
il	c éderait	il aurait	cédé	
n.	c éderions	n. aurions	cédé	
v.	c éderiez	v. auriez	cédé	
ils	c éderaient	ils auraient	cédé	

Passé 2ᵉ forme		
j'	eusse	cédé
tu	eusses	cédé
il	eût	cédé
n.	eussions	cédé
v.	eussiez	cédé
ils	eussent	cédé

INFINITIF

Présent	Passé
c éder	avoir cédé

PARTICIPE

Présent	Passé	
c édant	c édé, ée	
	ayant cédé	

Avérer signifiant *reconnaître pour vrai, vérifier,* ne s'emploie guère qu'à l'infinitif et au participe passé : *le fait est avéré.* La forme pronominale **s'avérer** se conjugue complètement mais on constate un glissement de sens de *se révéler vrai* à *se révéler* qui, en dépit des réticences des puristes, s'impose de plus en plus : *la résistance s'avéra inutile.*

11 VERBES EN -ELER ou -ETER : JETER

1. Verbes doublant l ou t devant e muet

En règle générale, les verbes en **-eler** ou en **-eter** doublent la consonne **l** ou **t** devant un **e muet** : *Je jette, j'appelle.*
Un petit nombre ne doublent pas devant l'**e muet** la consonne **l** ou **t**, mais prennent un accent grave sur le **e** qui précède le **l** ou le **t** : *J'achète, je modèle* (v. en tête de la page suivante la liste de ces exceptions).

INDICATIF

Présent		Passé composé	
je	j ette	j' ai	jeté
tu	j ettes	tu as	jeté
il	j ette	il a	jeté
nous	j etons	n. avons	jeté
vous	j etez	v. avez	jeté
ils	j ettent	ils ont	jeté

Imparfait		Plus-que-parfait	
je	j etais	j' avais	jeté
tu	j etais	tu avais	jeté
il	j etait	il avait	jeté
nous	j etions	n. avions	jeté
vous	j etiez	v. aviez	jeté
ils	j etaient	ils avaient	jeté

Passé simple		Passé antérieur	
je	j etai	j' eus	jeté
tu	j etas	tu eus	jeté
il	j eta	il eut	jeté
nous	j etâmes	n. eûmes	jeté
vous	j etâtes	v. eûtes	jeté
ils	j etèrent	ils eurent	jeté

Futur simple		Futur antérieur	
je	j etterai	j' aurai	jeté
tu	j etteras	tu auras	jeté
il	j ettera	il aura	jeté
nous	j etterons	n. aurons	jeté
vous	j etterez	v. aurez	jeté
ils	j etteront	ils auront	jeté

SUBJONCTIF

Présent		Passé	
que je	j ette	que j' aie	jeté
que tu	j ettes	que tu aies	jeté
qu'il	j ette	qu'il ait	jeté
que n.	j etions	que n. ayons	jeté
que v.	j etiez	que v. ayez	jeté
qu'ils	j ettent	qu'ils aient	jeté

Imparfait		Plus-que-parfait	
que je	j etasse	que j' eusse	jeté
que tu	j etasses	que tu eusses	jeté
qu'il	j etât	qu'il eût	jeté
que n.	j etassions	que n. eussions	jeté
que v.	j etassiez	que v. eussiez	jeté
qu'ils	j etassent	qu'ils eussent	jeté

IMPÉRATIF

Présent	Passé	
j ette	aie	jeté
j etons	ayons	jeté
j etez	ayez	jeté

CONDITIONNEL

Présent		Passé 1re forme	
je	j etterais	j' aurais	jeté
tu	j etterais	tu aurais	jeté
il	j etterait	il aurait	jeté
n.	j etterions	n. aurions	jeté
v.	j etteriez	v. auriez	jeté
ils	j etteraient	ils auraient	jeté

Passé 2e forme		
j'	eusse	jeté
tu	eusses	jeté
il	eût	jeté
n.	eussions	jeté
v.	eussiez	jeté
ils	eussent	jeté

INFINITIF

Présent	Passé
j eter	avoir jeté

PARTICIPE

Présent	Passé
j etant	j eté, ée
	ayant jeté

2. Verbes changeant **e** en **è** devant syllabe muette

Quelques verbes ne doublent pas l'**l** ou le **t** devant e muet :

1. Verbes en -**eler** se conjuguant comme **je modèle** : *celer (déceler, receler), ciseler, démanteler, écarteler, s'encasteler, geler (dégeler, congeler, surgeler), marteler, modeler, peler.*

2. Verbes en -**eter** se conjuguant comme **j'achète** : *acheter (racheter), bégueter, corseter, crocheter, fileter, fureter, haleter.*

INDICATIF			**SUBJONCTIF**		
Présent		*Passé composé*	*Présent*		*Passé*
je mod èle	j' ai	modelé	que je mod èle	que j' aie	modelé
tu mod èles	tu as	modelé	que tu mod èles	que tu aies	modelé
il mod èle	il a	modelé	qu'il mod èle	qu'il ait	modelé
nous mod elons	n. avons	modelé	que n. mod elions	que n. ayons	modelé
vous mod elez	v. avez	modelé	que v. mod eliez	que v. ayez	modelé
ils mod èlent	ils ont	modelé	qu'ils mod èlent	qu'ils aient	modelé
Imparfait		*Plus-que-parfait*	*Imparfait*		*Plus-que-parfait*
je mod elais	j' avais	modelé	que je mod elasse	que j' eusse	modelé
tu mod elais	tu avais	modelé	que tu mod elasses	que tu eusses	modelé
il mod elait	il avait	modelé	qu'il mod elât	qu'il eût	modelé
nous mod elions	n. avions	modelé	que n. mod elassions	que n. eussions	modelé
vous mod eliez	v. aviez	modelé	que v. mod elassiez	que v. eussiez	modelé
ils mod elaient	ils avaient	modelé	qu'ils mod elassent	qu'ils eussent	modelé
Passé simple		*Passé antérieur*	**IMPÉRATIF**		
je mod elai	j' eus	modelé	*Présent*		*Passé*
tu mod elas	tu eus	modelé	mod èle	aie	modelé
il mod ela	il eut	modelé	mod elons	ayons	modelé
nous mod elâmes	n. eûmes	modelé	mod elez	ayez	modelé
vous mod elâtes	v. eûtes	modelé			
ils mod elèrent	ils eurent	modelé			
Futur simple		*Futur antérieur*	**CONDITIONNEL**		
			Présent		*Passé 1ʳᵉ forme*
je mod èlerai	j' aurai	modelé	je mod èlerais	j' aurais	modelé
tu mod èleras	tu auras	modelé	tu mod èlerais	tu aurais	modelé
il mod èlera	il aura	modelé	il mod èlerait	il aurait	modelé
nous mod èlerons	n. aurons	modelé	n. mod èlerions	n. aurions	modelé
vous mod èlerez	v. aurez	modelé	v. mod èleriez	v. auriez	modelé
ils mod èleront	ils auront	modelé	ils mod èleraient	ils auraient	modelé

INFINITIF		**PARTICIPE**		*Passé 2ᵉ forme*	
				j' eusse	modelé
Présent	*Passé*	*Présent*	*Passé*	tu eusses	modelé
				il eût	modelé
				n. eussions	modelé
mod eler	avoir modelé	mod elant	mod elé, ée	v. eussiez	modelé
			ayant modelé	ils eussent	modelé

13 VERBES EN -ÉER : CRÉER

Ces verbes n'offrent d'autre particularité que la présence très régulière de deux **e** à certaines personnes de l'indicatif présent, du passé simple, du futur, du conditionnel, de l'impératif, du subjonctif, au participe passé masculin, et celle de trois **e** au participe passé féminin : *créé*.
Dans les verbes en **-éer**, l'**é** reste toujours fermé : *Je crée, tu crées...*

INDICATIF

Présent		Passé composé	
je	cr ée	j' ai	créé
tu	cr ées	tu as	créé
il	cr ée	il a	créé
nous	cr éons	n. avons	créé
vous	cr éez	v. avez	créé
ils	cr éent	ils ont	créé

Imparfait		Plus-que-parfait	
je	cr éais	j' avais	créé
tu	cr éais	tu avais	créé
il	cr éait	il avait	créé
nous	cr éions	n. avions	créé
vous	cr éiez	v. aviez	créé
ils	cr éaient	ils avaient	créé

Passé simple		Passé antérieur	
je	cr éai	j' eus	créé
tu	cr éas	tu eus	créé
il	cr éa	il eut	créé
nous	cr éâmes	n. eûmes	créé
vous	cr éâtes	v. eûtes	créé
ils	cr éèrent	ils eurent	créé

Futur simple		Futur antérieur	
je	cr éerai	j' aurai	créé
tu	cr éeras	tu auras	créé
il	cr éera	il aura	créé
nous	cr éerons	n. aurons	créé
vous	cr éerez	v. aurez	créé
ils	cr éeront	ils auront	créé

SUBJONCTIF

Présent		Passé	
que je cr ée		que j' aie	créé
que tu cr ées		que tu aies	créé
qu'il cr ée		qu'il ait	créé
que n. cr éions		que n. ayons	créé
que v. cr éiez		que v. ayez	créé
qu'ils cr éent		qu'ils aient	créé

Imparfait		Plus-que-parfait	
que je cr éasse		que j' eusse	créé
que tu cr éasses		que tu eusses	créé
qu'il cr éât		qu'il eût	créé
que n. cr éassions		que n. eussions	créé
que v. cr éassiez		que v. eussiez	créé
qu'ils cr éassent		qu'ils eussent	créé

IMPÉRATIF

Présent	Passé	
cr ée	aie	créé
cr éons	ayons	créé
cr éez	ayez	créé

CONDITIONNEL

Présent		Passé 1re forme	
je	cr éerais	j' aurais	créé
tu	cr éerais	tu aurais	créé
il	cr éerait	il aurait	créé
n.	cr éerions	n. aurions	créé
v.	cr éeriez	v. auriez	créé
ils	cr éeraient	ils auraient	créé

Passé 2e forme		
j'	eusse	créé
tu	eusses	créé
il	eût	créé
n.	eussions	créé
v.	eussiez	créé
ils	eussent	créé

INFINITIF

Présent	Passé
cr éer	avoir créé

PARTICIPE

Présent	Passé
cr éant	cr éé, éée
	ayant créé

Noter la forme adjectivale du participe passé dans « bouche **bée** ».

Dans les verbes en **-éger** :
1. L'**é** du radical se change en **è** devant un **e muet** (sauf au futur et au conditionnel).
2. Pour conserver partout le son du **g doux**, on maintient l'**e** après le **g** devant les voyelles **a** et **o**.

INDICATIF

Présent		Passé composé	
j'	assi ège	j' ai	assiégé
tu	assi èges	tu as	assiégé
il	assi ège	il a	assiégé
nous	assi égeons	n. avons	assiégé
vous	assi égez	v. avez	assiégé
ils	assi ègent	ils ont	assiégé

Imparfait		Plus-que-parfait	
j'	assi égeais	j' avais	assiégé
tu	assi égeais	tu avais	assiégé
il	assi égeait	il avait	assiégé
nous	assi égions	n. avions	assiégé
vous	assi égiez	v. aviez	assiégé
ils	assi égeaient	ils avaient	assiégé

Passé simple		Passé antérieur	
j'	assi égeai	j' eus	assiégé
tu	assi égeas	tu eus	assiégé
il	assi égea	il eut	assiégé
nous	assi égeâmes	n. eûmes	assiégé
vous	assi égeâtes	v. eûtes	assiégé
ils	assi égèrent	ils eurent	assiégé

Futur simple		Futur antérieur	
j'	assi égerai	j' aurai	assiégé
tu	assi égeras	tu auras	assiégé
il	assi égera	il aura	assiégé
nous	assi égerons	n. aurons	assiégé
vous	assi égerez	v. aurez	assiégé
ils	assi égeront	ils auront	assiégé

SUBJONCTIF

Présent		Passé	
que j'	assi ège	que j' aie	assiégé
que tu	assi èges	que tu aies	assiégé
qu'il	assi ège	qu'il ait	assiégé
que n.	assi égions	que n. ayons	assiégé
que v.	assi égiez	que v. ayez	assiégé
qu'ils	assi ègent	qu'ils aient	assiégé

Imparfait		Plus-que-parfait	
que j'	assi égeasse	que j' eusse	assiégé
que tu	assi égeasses	que tu eusses	assiégé
qu'il	assi égeât	qu'il eût	assiégé
que n.	assi égeassions	que n. eussions	assiégé
que v.	assi égeassiez	que v. eussiez	assiégé
qu'ils	assi égeassent	qu'ils eussent	assiégé

IMPÉRATIF

Présent	Passé	
assi ège	aie	assiégé
assi égeons	ayons	assiégé
assi égez	ayez	assiégé

CONDITIONNEL

Présent		Passé 1re forme	
j'	assi égerais	j' aurais	assiégé
tu	assi égerais	tu aurais	assiégé.
il	assi égerait	il aurait	assiégé
n.	assi égerions	n. aurions	assiégé
v.	assi égeriez	v. auriez	assiégé
ils	assi égeraient	ils auraient	assiégé

Passé 2e forme		
j'	eusse	assiégé
tu	eusses	assiégé
il	eût	assiégé
n.	eussions	assiégé
v.	eussiez	assiégé
ils	eussent	assiégé

INFINITIF

Présent	Passé
assi éger	avoir assiégé

PARTICIPE

Présent	Passé
assi égeant	assi égé, ée
	ayant assiégé

15 VERBES EN -IER : APPRÉCIER

Ces verbes n'offrent d'autre particularité que les deux **i** à la 1re et à la 2e personne du pluriel de l'imparfait de l'indicatif et du présent du subjonctif : *appréciions, appréciiez*. Ces deux **i** proviennent de la rencontre de l'**i** final du radical qui se maintient dans toute la conjugaison, avec l'**i** initial de la terminaison.

INDICATIF

Présent		Passé composé		
j'	appréci e	j'	ai	apprécié
tu	appréci es	tu	as	apprécié
il	appréci e	il	a	apprécié
nous	appréci ons	n.	avons	apprécié
vous	appréci ez	v.	avez	apprécié
ils	appréci ent	ils	ont	apprécié

Imparfait		Plus-que-parfait		
j'	appréci ais	j'	avais	apprécié
tu	appréci ais	tu	avais	apprécié
il	appréci ait	il	avait	apprécié
nous	appréci ions	n.	avions	apprécié
vous	appréci iez	v.	aviez	apprécié
ils	appréci aient	ils	avaient	apprécié

Passé simple		Passé antérieur		
j'	appréci ai	j'	eus	apprécié
tu	appréci as	tu	eus	apprécié
il	appréci a	il	eut	apprécié
nous	appréci âmes	n.	eûmes	apprécié
vous	appréci âtes	v.	eûtes	apprécié
ils	appréci èrent	ils	eurent	apprécié

Futur simple		Futur antérieur		
j'	appréci erai	j'	aurai	apprécié
tu	appréci eras	tu	auras	apprécié
il	appréci era	il	aura	apprécié
nous	appréci erons	n.	aurons	apprécié
vous	appréci erez	v.	aurez	apprécié
ils	appréci eront	ils	auront	apprécié

SUBJONCTIF

Présent		Passé		
que j'	appréci e	que j'	aie	apprécié
que tu	appréci es	que tu	aies	apprécié
qu'il	appréci e	qu'il	ait	apprécié
que n.	appréci ions	que n.	ayons	apprécié
que v.	appréci iez	que v.	ayez	apprécié
qu'ils	appréci ent	qu'ils	aient	apprécié

Imparfait		Plus-que-parfait		
que j'	appréci asse	que j'	eusse	apprécié
que tu	appréci asses	que tu	eusses	apprécié
qu'il	appréci ât	qu'il	eût	apprécié
que n.	appréci assions	que n.	eussions	apprécié
que v.	appréci assiez	que v.	eussiez	apprécié
qu'ils	appréci assent	qu'ils	eussent	apprécié

IMPÉRATIF

Présent	Passé	
appréci e	aie	apprécié
appréci ons	ayons	apprécié
appréci ez	ayez	apprécié

CONDITIONNEL

Présent	Passé 1re forme		
j' appréci erais	j'	aurais	apprécié
tu appréci erais	tu	aurais	apprécié
il appréci erait	il	aurait	apprécié
n. appréci erions	n.	aurions	apprécié
v. appréci eriez	v.	auriez	apprécié
ils appréci eraient	ils	auraient	apprécié

Passé 2e forme		
j'	eusse	apprécié
tu	eusses	apprécié
il	eût	apprécié
n.	eussions	apprécié
v.	eussiez	apprécié
ils	eussent	apprécié

INFINITIF

Présent	Passé
appréci er	avoir apprécié

PARTICIPE

Présent	Passé
appréci ant	appréci é, ée
	ayant apprécié

Les verbes en -**ayer** peuvent : 1. conserver l'**y** dans toute la conjugaison; 2. remplacer l'**y** par un **i** devant un **e muet**, c'est-à-dire devant les terminaisons : **e, es, ent, erai, erais** : *je paye* (prononcer *pey*) ou *je paie* (prononcer *pé*).
Remarquer la présence de l'**i** après **y** aux deux premières personnes du pluriel à l'imparfait de l'indicatif et au présent du subjonctif.

INDICATIF

Présent		*Passé composé*	
je	p aie	j' ai	payé
tu	p aies	tu as	payé
il	p aie	il a	payé
nous	p ayons	n. avons	payé
vous	p ayez	v. avez	payé
ils	p aient	ils ont	payé

ou		*Plus-que-parfait*	
je	p aye	j' avais	payé
tu	p ayes	tu avais	payé
il	p aye	il avait	payé
nous	p ayons	n. avions	payé
vous	p ayez	v. aviez	payé
ils	p ayent	ils avaient	payé

Imparfait		*Passé antérieur*	
je	p ayais	j' eus	payé
tu	p ayais	tu eus	payé
il	p ayait	il eut	payé
nous	p ayions	n. eûmes	payé
vous	p ayiez	v. eûtes	payé
ils	p ayaient·	ils eurent	payé

Passé simple		*Futur antérieur*	
je	p ayai	j' aurai	payé
tu	p ayas	tu auras	payé
il	p aya	il aura	payé
nous	p ayâmes	n. aurons	payé
vous	p ayâtes	v. aurez	payé
ils	p ayèrent	·ils auront	payé

Futur simple	
je	p aierai
tu	p aieras
il	p aiera
nous	p aierons
vous	p aierez
ils	p aieront

ou	
je	p ayerai
tu	p ayeras
il	p ayera
nous	p ayerons
vous	p ayerez
ils	p ayeront

SUBJONCTIF

Présent		*Passé*	
que je p aie		que j' aie	payé
que tu p aies		que tu aies	payé
qu'il p aie		qu'il ait	payé
que n. p ayions		que n. ayons	payé
que v. p ayiez		que v. ayez	payé
qu'ils p aient		qu'ils aient	payé

ou		*Plus-que-parfait*	
que je p aye		que j' eusse	payé
que tu p ayes		que tu eusses	payé
qu'il p aye		qu'il eût	payé
que n. p ayions		que n. eussions	payé
que v. p ayiez		que v. eussiez	payé
qu'ils p ayent		qu'ils eussent	payé

Imparfait	
que je p ayasse	
que tu p ayasses	
qu'il p ayât	
que n. p ayassions	
que v. p ayassiez	
qu'ils p ayassent	

IMPÉRATIF

Présent	*Passé*	
p aye *ou* paie	aie	payé
p ayons	ayons	payé
p ayez	ayez	payé

CONDITIONNEL

Présent		*ou*	
je	p aierais	je	p ayerais
tu	p aierais	tu	p ayerais
il	p aierait	il	p ayerait
n.	p aierions	n.	p ayerions
v.	p aieriez	v.	p ayeriez
ils	p aieraient	ils	p ayeraient

Passé 1ᵉ forme		*Passé 2ᵉ forme*	
j'	aurais payé	j'	eusse payé
tu	aurais payé	tu	eusses payé
il	aurait payé, etc.	il	eût payé, etc.

INFINITIF

Présent : p ayer
Passé : avoir payé

PARTICIPE

Présent : p ayant
Passé
p ayé, ée
ayant payé

Les verbes en -**eyer** (grasseyer, langueyer, faseyer, capeyer) conservent l'y dans toute la conjugaison. On ajoute au radical sur -ey- les terminaisons du verbe **aimer** (6).

Les verbes en **-oyer** et **-uyer** changent l'**y** du radical en **i** devant un **e muet** (terminaisons **e, es, ent, erai, erais**). *Exception :* **envoyer** et **renvoyer,** qui sont irréguliers au futur et au conditionnel (v. page suivante).
Remarquer la présence de l'**i** après **y** aux deux premières personnes du pluriel à l'imparfait de l'indicatif et au présent du subjonctif.

INDICATIF

Présent		Passé composé	
je	br oie	j' ai	broyé
tu	br oies	tu as	broyé
il	br oie	il a	broyé
nous	br oyons	n. avons	broyé
vous	br oyez	v. avez	broyé
ils	br oient	ils ont	broyé

Imparfait		Plus-que-parfait	
je	br oyais	j' avais	broyé
tu	br oyais	tu avais	broyé
il	br oyait	il avait	broyé
nous	br oyions	n. avions	broyé
vous	br oyiez	v. aviez	broyé
ils	br oyaient	ils avaient	broyé

Passé simple		Passé antérieur	
je	br oyai	j' eus	broyé
tu	br oyas	tu eus	broyé
il	br oya	il eut	broyé
nous	br oyâmes	n. eûmes	broyé
vous	br oyâtes	v. eûtes	broyé
ils	br oyèrent	ils eurent	broyé

Futur simple		Futur antérieur	
je	br oierai	j' aurai	broyé
tu	br oieras	tu auras	broyé
il	br oiera	il aura	broyé
nous	br oierons	n. aurons	broyé
vous	br oierez	v. aurez	broyé
ils	br oieront	ils auront	broyé

SUBJONCTIF

Présent		Passé		
que je	br oie	que j'	aie	broyé
que tu	br oies	que tu	aies	broyé
qu'il	br oie	qu'il	ait	broyé
que n.	br oyions	que n.	ayons	broyé
que v.	br oyiez	que v.	ayez	broyé
qu'ils	br oient	qu'ils	aient	broyé

Imparfait		Plus-que-parfait		
que je	br oyasse	que j'	eusse	broyé
que tu	br oyasses	que tu	eusses	broyé
qu'il	br oyât	qu'il	eût	broyé
que n.	br oyassions	que n.	eussions	broyé
que v.	br oyassiez	que v.	eussiez	broyé
qu'ils	br oyassent	qu'ils	eussent	broyé

IMPÉRATIF

Présent	Passé	
br oie	aie	broyé
br oyons	ayons	broyé
br oyez	ayez	broyé

CONDITIONNEL

Présent		Passé 1ʳᵉ forme		
je	br oierais	j'	aurais	broyé
tu	br oierais	tu	aurais	broyé
il	br oierait	il	aurait	broyé
n.	br oierions	n.	aurions	broyé
v.	br oieriez	v.	auriez	broyé
ils	br oieraient	ils	auraient	broyé

Passé 2ᵉ forme		
j'	eusse	broyé
tu	eusses	broyé
il	eût	broyé
n.	eussions	broyé
v.	eussiez	broyé
ils	eussent	broyé

INFINITIF

Présent	Passé
br oyer	avoir broyé

PARTICIPE

Présent	Passé
br oyant	br oyé, ée
	ayant broyé

INDICATIF

Présent

j'	envoie
tu	envoies
il	envoie
nous	envoyons
vous	envoyez
ils	envoient

Passé composé

j'	ai	envoyé
tu	as	envoyé
il	a	envoyé
n.	avons	envoyé
v.	avez	envoyé
ils	ont	envoyé

Imparfait

j'	envoyais
tu	envoyais
il	envoyait
nous	envoyions
vous	envoyiez
ils	envoyaient

Plus-que-parfait

j'	avais	envoyé
tu	avais	envoyé
il	avait	envoyé
n.	avions	envoyé
v.	aviez	envoyé
ils	avaient	envoyé

Passé simple

j'	envoyai
tu	envoyas
il	envoya
nous	envoyâmes
vous	envoyâtes
ils	envoyèrent

Passé antérieur

j'	eus	envoyé
tu	eus	envoyé
il	eut	envoyé
n.	eûmes	envoyé
v.	eûtes	envoyé
ils	eurent	envoyé

Futur simple

j'	enverrai
tu	enverras
il	enverra
nous	enverrons
vous	enverrez
ils	enverront

Futur antérieur

j'	aurai	envoyé
tu	auras	envoyé
il	aura	envoyé
n.	aurons	envoyé
v.	aurez	envoyé
ils	auront	envoyé

SUBJONCTIF

Présent

que j'	envoie
que tu	envoies
qu'il	envoie
que n.	envoyions
que v.	envoyiez
qu'ils	envoient

Passé

que j'	aie	envoyé
que tu	aies	envoyé
qu'il	ait	envoyé
que n.	ayons	envoyé
que v.	ayez	envoyé
qu'ils	aient	envoyé

Imparfait

que j'	envoyasse
que tu	envoyasses
qu'il	envoyât
que n.	envoyassions
que v.	envoyassiez
qu'ils	envoyassent

Plus-que-parfait

que j'	eusse	envoyé
que tu	eusses	envoyé
qu'il	eût	envoyé
que n.	eussions	envoyé
que v.	eussiez	envoyé
qu'ils	eussent	envoyé

IMPÉRATIF

Présent

envoie
envoyons
envoyez

Passé

aie	envoyé
ayons	envoyé
ayez	envoyé

CONDITIONNEL

Présent

j'	enverrais
tu	enverrais
il	enverrait
n.	enverrions
v.	enverriez
ils	enverraient

Passé 1re forme

j'	aurais	envoyé
tu	aurais	envoyé
il	aurait	envoyé
n.	aurions	envoyé
v.	auriez	envoyé
ils	auraient	envoyé

Passé 2e forme

j'	eusse	envoyé
tu	eusses	envoyé
il	eût	envoyé
n.	eussions	envoyé
v.	eussiez	envoyé
ils	eussent	envoyé

INFINITIF

Présent

envoyer

Passé

avoir envoyé

PARTICIPE

Présent

envoyant

Passé

envoyé, ée
ayant envoyé

Ainsi se conjugue **renvoyer.**

19 DEUXIÈME GROUPE

VERBES EN -IR/ISSANT : FINIR
Infinitif présent en -ir; participe présent en -issant[1]

INDICATIF

Présent		Passé composé	
je	fin is	j' ai	fini
tu	fin is	tu as	fini
il	fin it	il a	fini
nous	fin issons	n. avons	fini
vous	fin issez	v. avez	fini
ils	fin issent	ils ont	fini

Imparfait		Plus-que-parfait	
je	fin issais	j' avais	fini
tu	fin issais	tu avais	fini
il	fin issait	il avait	fini
nous	fin issions	n. avions	fini
vous	fin issiez	v. aviez	fini
ils	fin issaient	ils avaient	fini

Passé simple		Passé antérieur	
je	fin is	j' eus	fini
tu	fin is	tu eus	fini
il	fin it	il eut	fini
nous	fin îmes	n. eûmes	fini
vous	fin îtes	v. eûtes	fini
ils	fin irent	ils eurent	fini

Futur simple		Futur antérieur	
je	fin irai	j' aurai	fini
tu	fin iras	tu auras	fini
il	fin ira	il aura	fini
nous	fin irons	n. aurons	fini
vous	fin irez	v. aurez	fini
ils	fin iront	ils auront	fini

SUBJONCTIF

Présent	Passé	
que je fin isse	que j' aie	fini
que tu fin isses	que tu aies	fini
qu'il fin isse	qu'il ait	fini
que n. fin issions	que n. ayons	fini
que v. fin issiez	que v. ayez	fini
qu'ils fin issent	qu'ils aient	fini

Imparfait	Plus-que-parfait	
que je fin isse	que j' eusse	fini
que tu fin isses	que tu eusses	fini
qu'il fin ît	qu'il eût	fini
que n. fin issions	que n. eussions	fini
que v. fin issiez	que v. eussiez	fini
qu'ils fin issent	qu'ils eussent	fini

IMPÉRATIF

Présent	Passé	
fin is	aie	fini
fin issons	ayons	fini
fin issez	ayez	fini

CONDITIONNEL

Présent	Passé 1re forme	
je fin irais	j' aurais	fini
tu fin irais	tu aurais	fini
il fin irait	il aurait	fini
n. fin irions	n. aurions	fini
v. fin iriez	v. auriez	fini
ils fin iraient	ils auraient	fini

Passé 2e forme		
j' eusse	fini
tu eusses	fini
il eût	fini
n. eussions	fini
v. eussiez	fini
ils eussent	fini

INFINITIF

Présent	Passé
fin ir	avoir fini

PARTICIPE

Présent	Passé
fin issant	fin i, ie
	ayant fini

---

1. Ainsi se conjuguent environ 300 verbes en -ir, -issant, qui, avec les verbes en -er, forment la conjugaison vivante.
Les verbes **obéir** et **désobéir** (intransitifs à l'actif) ont gardé, d'une ancienne construction transitive, un passif : « *sera-t-elle obéie?* »

Haïr est le seul verbe de cette terminaison; il prend un tréma sur l'i dans toute sa conjugaison, excepté aux trois personnes du singulier du présent de l'indicatif, et à la deuxième personne du singulier de l'impératif. Le tréma exclut l'accent circonflexe au passé simple et au subjonctif imparfait.

INDICATIF

Présent

je	hais	j'	ai	haï
tu	hais	tu	as	haï
il	hait	il	a	haï
nous	haïssons	n.	avons	haï
vous	haïssez	v.	avez	haï
ils	haïssent	ils	ont	haï

Passé composé (above)

Imparfait

je	haïssais	j'	avais	haï
tu	haïssais	tu	avais	haï
il	haïssait	il	avait	haï
nous	haïssions	n.	avions	haï
vous	haïssiez	v.	aviez	haï
ils	haïssaient	ils	avaient	haï

Plus-que-parfait (above)

Passé simple

je	haïs	j'	eus	haï
tu	haïs	tu	eus	haï
il	haït	il	eut	haï
nous	haïmes	n.	eûmes	haï
vous	haïtes	v.	eûtes	haï
ils	haïrent	ils	eurent	haï

Passé antérieur (above)

Futur simple

je	haïrai	j'	aurai	haï
tu	haïras	tu	auras	haï
il	haïra	il	aura	haï
nous	haïrons	n.	aurons	haï
vous	haïrez	v.	aurez	haï
ils	haïront	ils	auront	haï

Futur antérieur (above)

SUBJONCTIF

Présent

que je	haïsse	que j'	aie	haï
que tu	haïsses	que tu	aies	haï
qu'il	haïsse	qu'il	ait	haï
que n.	haïssions	que n.	ayons	haï
que v.	haïssiez	que v.	ayez	haï
qu'ils	haïssent	qu'ils	aient	haï

Passé (above)

Imparfait

que je	haïsse	que j'	eusse	haï
que tu	haïsses	que tu	eusses	haï
qu'il	haït	qu'il	eût	haï
que n.	haïssions	que n.	eussions	haï
que v.	haïssiez	que v.	eussiez	haï
qu'ils	haïssent	qu'ils	eussent	haï

Plus-que-parfait (above)

IMPÉRATIF

Présent

hais	
haïssons	
haïssez	

Passé

aie	haï
ayons	haï
ayez	haï

CONDITIONNEL

Présent

je	haïrais	j'	aurais	haï
tu	haïrais	tu	aurais	haï
il	haïrait	il	aurait	haï
n.	haïrions	n.	aurions	haï
v.	haïriez	v.	auriez	haï
ils	haïraient	ils	auraient	haï

Passé 1re forme (above)

Passé 2e forme

j'	eusse	haï
tu	eusses	haï
il	eût	haï
n.	eussions	haï
v.	eussiez	haï
ils	eussent	haï

INFINITIF

Présent	Passé
haïr	avoir haï

PARTICIPE

Présent	Passé
haïssant	haï, ïe
	ayant haï

21 TROISIÈME GROUPE

Le 3ᵉ groupe comprend :

1. **Le verbe** aller (tableau 22).

2. **Les verbes en** -ir qui ont le participe présent en -ant, et non en -issant (tableaux 23 à 37).

3. **Tous les verbes en** -oir (tableaux 38 à 52).

4. **Tous les verbes en** -re (tableaux 53 à 82).

Les soixante tableaux suivants permettent de conjuguer les quelque trois cent cinquante verbes du 3ᵉ groupe dont la liste est donnée pages 98 et 99; ils y sont classés par terminaisons et par référence au verbe type dont ils épousent les particularités de conjugaison. Ainsi se trouve exactement circonscrite cette conjugaison morte qui par sa complexité et ses singularités constitue la difficulté majeure du système verbal français.

Trois traits généraux peuvent cependant en être dégagés.

1. **Le passé simple**, dans le 3ᵉ groupe, est tantôt en *is : je fis, je dormis*, tantôt en *us : je valus;* tenir et venir font : *je tins, je vins.*

2. **Le participe passé** est tantôt en *i : dormi, senti, servi,* tantôt en *u : valu, tenu, venu,* etc. Dans un certain nombre de verbes appartenant à ce groupe, le participe passé n'a pas à proprement parler de terminaison et n'est qu'une modification du radical : *né, pris, fait, dit,* etc.

3. **Au présent** de l'indicatif, de l'impératif, du subjonctif on observe parfois une alternance vocalique qui oppose aux autres personnes les 1ʳᵉ et 2ᵉ personnes du pluriel : *nous te*nons, *vous te*nez, alternant avec *je* **tien***s, tu* **tien***s, il* **tien***t, ils* **tien***nent.* Cette modification du radical s'explique par le fait qu'en latin l'accent tonique frappait tantôt le radical (*ám-o :* radical fort) tantôt la terminaison (*am-ámus :* radical faible). Comme les syllabes ont évolué différemment selon qu'elles étaient accentuées ou atones, tous les verbes français devraient présenter une alternance de ce type. Mais l'analogie a généralisé tantôt le radical fort (*j'aime, nous aimons* au lieu de *nous amons*) plus rarement le radical faible (*nous trouvons, je trouve* au lieu de *je treuve*). Cependant d'assez nombreux verbes ont gardé trace de cette alternance tonique, rarement au 1ᵉʳ groupe : *je sème, nous semons,* plus fréquemment au 3ᵉ : voir entre autres : *j'acquiers/nous acquérons, je reçois/nous recevons, je meurs/nous mourons, je bois/nous buvons, je fais/nous faisons* (prononcé *fe*). Il n'est pour s'en rendre compte que de parcourir les tableaux suivants où les premières personnes du singulier et du pluriel, notées en rouge, soulignent cette particularité.

INDICATIF

Présent

		Passé composé	
je	vais	je suis	allé
tu	vas	tu es	allé
il	va	il est	allé
nous	allons	n. sommes	allés
vous	allez	v. êtes	allés
ils	vont	ils sont	allés

Imparfait

		Plus-que-parfait	
j'	allais	j' étais	allé
tu	allais	tu étais	allé
il	allait	il était	allé
nous	allions	n. étions	allés
vous	alliez	v. étiez	allés
ils	allaient	ils étaient	allés

Passé simple

		Passé antérieur	
j'	allai	je fus	allé
tu	allas	tu fus	allé
il	alla	il fut	allé
nous	allâmes	n. fûmes	allés
vous	allâtes	v. fûtes	allés
ils	allèrent	ils furent	allés

Futur simple

		Futur antérieur	
j'	irai	je serai	allé
tu	iras	tu seras	allé
il	ira	il sera	allé
nous	irons	n. serons	allés
vous	irez	v. serez	allés
ils	iront	ils seront	allés

SUBJONCTIF

Présent

		Passé	
que j'	aille	que je sois	allé
que tu ailles		que tu sois	allé
qu'il	aille	qu'il soit	allé
que n. allions		que n. soyons	allés
que v. alliez		que v. soyez	allés
qu'ils aillent		qu'ils soient	allés

Imparfait

		Plus-que-parfait	
que j'	allasse	que je fusse	allé
que tu allasses		que tu fusses	allé
qu'il	allât	qu'il fût	allé
que n. allassions		que n. fussions	allés
que v. allassiez		que v. fussiez	allés
qu'ils allassent		qu'ils fussent	allés

IMPÉRATIF

Présent

	Passé	
va	sois	allé
allons	soyons	allés
allez	soyez	allés

CONDITIONNEL

Présent

		Passé 1re forme	
j'	irais	je serais	allé
tu	irais	tu serais	allé
il	irait	il serait	allé
n.	irions	n. serions	allés
v.	iriez	v. seriez	allés
ils	iraient	ils seraient	allés

Passé 2e forme

je	fusse	allé
tu	fusses	allé
il	fût	allé
n.	fussions	allés
v.	fussiez	allés
ils	fussent	allés

INFINITIF

Présent	Passé
aller	être allé

PARTICIPE

Présent	Passé
allant	allé, ée
	étant allé

Le verbe **aller** se conjugue sur trois radicaux distincts : le radical **va** (*je vais, tu vas, il va,* impératif : *va*); le radical **-ir** au futur et au conditionnel : *j'irai, j'irais;* ailleurs le radical de l'infinitif **all-**. A l'impératif, devant le pronom adverbial **y** non suivi d'un infinitif, **va** prend un **s** : *vas-y,* mais *va y mettre bon ordre.* A la forme interrogative on écrit *va-t-il?* comme *aima-t-il?*

S'en aller se conjugue comme **aller.** Aux temps composés on met l'auxiliaire **être** entre *en* et *allé :* *je m'en suis allé* et non *je me suis en allé.* L'impératif est : *va-t'en* (avec élision de l'*e* du pronom réfléchi **te**), *allons-nous-en, allez-vous-en.*

INDICATIF

Présent		Passé composé	
je	t iens	j' ai	tenu
tu	t iens	tu as	tenu
il	t ient	il a	tenu
nous	t enons	n. avons	tenu
vous	t enez	v. avez	tenu
ils	t iennent	ils ont	tenu

Imparfait		Plus-que-parfait	
je	t enais	j' avais	tenu
tu	t enais	tu avais	tenu
il	t enait	il avait	tenu
nous	t enions	n. avions	tenu
vous	t eniez	v. aviez	tenu
ils	t enaient	ils avaient	tenu

Passé simple		Passé antérieur	
je	t ins	j' eus	tenu
tu	t ins	tu eus	tenu
il	t int	il eut	tenu
nous	t înmes	n. eûmes	tenu
vous	t întes	v. eûtes	tenu
ils	t inrent	ils eurent	tenu

Futur simple		Futur antérieur	
je	t iendrai	j' aurai	tenu
tu	t iendras	tu auras	tenu
il	t iendra	il aura	tenu
nous	t iendrons	n. aurons	tenu
vous	t iendrez	v. aurez	tenu
ils	t iendront	ils auront	tenu

SUBJONCTIF

Présent		Passé	
que je	t ienne	que j' aie	tenu
que tu	t iennes	que tu aies	tenu
qu'il	t ienne	qu'il ait	tenu
que n.	t enions	que n. ayons	tenu
que v.	t eniez	que v. ayez	tenu
qu'ils	t iennent	qu'ils aient	tenu

Imparfait		Plus-que-parfait	
que je	t insse	que j' eusse	tenu
que tu	t insses	que tu eusses	tenu
qu'il	t înt	qu'il eût	tenu
que n.	t inssions	que n. eussions	tenu
que v.	t inssiez	que v. eussiez	tenu
qu'ils	t inssent	qu'ils eussent	tenu

IMPÉRATIF

Présent	Passé	
t iens	aie	tenu
t enons	ayons	tenu
t enez	ayez	tenu

CONDITIONNEL

Présent		Passé 1re forme	
je	t iendrais	j' aurais	tenu
tu	t iendrais	tu aurais	tenu
il	t iendrait	il aurait	tenu
n.	t iendrions	n. aurions	tenu
v.	t iendriez	v. auriez	tenu
ils	t iendraient	ils auraient	tenu

Passé 2e forme		
j'	eusse	tenu
tu	eusses	tenu
il	eût	tenu
n.	eussions	tenu
v.	eussiez	tenu
ils	eussent	tenu

INFINITIF

Présent	Passé
t enir	avoir tenu

PARTICIPE

Présent	Passé
t enant	t enu, ue
	ayant tenu

Ainsi se conjuguent **tenir**, venir et leurs composés (page 98). Venir et ses composés prennent l'auxiliaire **être**, sauf *circonvenir, prévenir, subvenir.*
Advenir n'est employé qu'à la 3e personne du singulier et du pluriel; les temps composés se forment avec l'auxiliaire **être** : *il est advenu.*
D'avenir ne subsistent que le nom et l'adjectif (*avenant*).

INDICATIF

Présent		*Passé composé*		
j'	acqu iers	j'	ai	acquis
tu	acqu iers	tu	as	acquis
il	acqu iert	il	a	acquis
nous	acqu érons	n.	avons	acquis
vous	acqu érez	v.	avez	acquis
ils	acqu ièrent	ils	ont	acquis

Imparfait		*Plus-que-parfait*		
j'	acqu érais	j'	avais	acquis
tu	acqu érais	tu	avais	acquis
il	acqu érait	il	avait	acquis
nous	acqu érions	n.	avions	acquis
vous	acqu ériez	v.	aviez	acquis
ils	acqu éraient	ils	avaient	acquis

Passé simple		*Passé antérieur*		
j'	acqu is	j'	eus	acquis
tu	acqu is	tu	eus	acquis
il	acqu it	il	eut	acquis
nous	acqu îmes	n.	eûmes	acquis
vous	acqu îtes	v.	eûtes	acquis
ils	acqu irent	ils	eurent	acquis

Futur simple		*Futur antérieur*		
j'	acqu errai	j'	aurai	acquis
tu	acqu erras	tu	auras	acquis
il	acqu erra	il	aura	acquis
nous	acqu errons	n.	aurons	acquis
vous	acqu errez	v.	aurez	acquis
ils	acqu erront	ils	auront	acquis

SUBJONCTIF

Présent		*Passé*		
que j'	acqu ière	que j'	aie	acquis
que tu	acqu ières	que tu	aies	acquis
qu'il	acqu ière	qu'il	ait	acquis
que n.	acqu érions	que n.	ayons	acquis
que v.	acqu ériez	que v.	ayez	acquis
qu'ils	acqu ièrent	qu'ils	aient	acquis

Imparfait		*Plus-que-parfait*		
que j'	acqu isse	que j'	eusse	acquis
que tu	acqu isses	que tu	eusses	acquis
qu'il	acqu ît	qu'il	eût	acquis
que n.	acqu issions	que n.	eussions	acquis
que v.	acqu issiez	que v.	eussiez	acquis
qu'ils	acqu issent	qu'ils	eussent	acquis

IMPÉRATIF

Présent	*Passé*	
acqu iers	aie	acquis
acqu érons	ayons	acquis
acqu érez	ayez	acquis

CONDITIONNEL

Présent		*Passé 1ʳᵉ forme*		
j'	acqu errais	j'	aurais	acquis
tu	acqu errais	tu	aurais	acquis
il	acqu errait	il	aurait	acquis
n.	acqu errions	n.	aurions	acquis
v.	acqu erriez	v.	auriez	acquis
ils	acqu erraient	ils	auraient	acquis

Passé 2ᵉ forme		
j'	eusse	acquis
tu	eusses	acquis
il	eût	acquis
n.	eussions	acquis
v.	eussiez	acquis
ils	eussent	acquis

INFINITIF

Présent	*Passé*
acqu érir	avoir acquis

PARTICIPE

Présent	*Passé*
acqu érant	acqu is, ise
	ayant acquis

Ainsi se conjuguent les composés de quérir (page 98).

Acquérir. Ne pas confondre le participe substantivé **acquis** *(avoir de l'acquis)* avec le substantif verbal **acquit** de **acquitter** *(par acquit, pour acquit)*.

Noter la subsistance d'une forme ancienne dans la locution « à enquerre » ($\simeq$ infinitif).

25 VERBES EN -TIR : SENTIR

INDICATIF

Présent		Passé composé		
je	sen s	j'	ai	senti
tu	sen s	tu as		senti
il	sen t	il a		senti
nous	sen tons	n. avons		senti
vous	sen tez	v. avez		senti
ils	sen tent	ils ont		senti

Imparfait		Plus-que-parfait		
je	sen tais	j'	avais	senti
tu	sen tais	tu avais		senti
il	sen tait	il avait		senti
nous	sen tions	n. avions		senti
vous	sen tiez	v. aviez		senti
ils	sen taient	ils avaient		senti

Passé simple		Passé antérieur		
je	sen tis	j'	eus	senti
tu	sen tis	tu eus		senti
il	sen tit	il eut		senti
nous	sen tîmes	n. eûmes		senti
vous	sen tîtes	v. eûtes		senti
ils	sen tirent	ils eurent		senti

Futur simple		Futur antérieur		
je	sen tirai	j'	aurai	senti
tu	sen tiras	tu auras		senti
il	sen tira	il aura		senti
nous	sen tirons	n. aurons		senti
vous	sen tirez	v. aurez		senti
ils	sen tiront	ils auront		senti

SUBJONCTIF

Présent		Passé		
que je	sen te	que j'	aie	senti
que tu	sen tes	que tu aies		senti
qu'il	sen te	qu'il ait		senti
que n.	sen tions	que n. ayons		senti
que v.	sen tiez	que v. ayez		senti
qu'ils	sen tent	qu'ils aient		senti

Imparfait		Plus-que-parfait		
que je	sen tisse	que j'	eusse	senti
que tu	sen tisses	que tu eusses		senti
qu'il	sen tît	qu'il eût		senti
que n.	sen tissions	que n. eussions		senti
que v.	sen tissiez	que v. eussiez		senti
qu'ils	sen tissent	qu'ils eussent		senti

IMPÉRATIF

Présent	Passé	
sen s	aie	senti
sen tons	ayons	senti
sen tez	ayez	senti

CONDITIONNEL

Présent		Passé 1ʳᵉ forme		
je	sen tirais	j'	aurais	senti
tu	sen tirais	tu aurais		senti
il	sen tirait	il aurait		senti
n.	sen tirions	n. aurions		senti
v.	sen tiriez	v. auriez		senti
ils	sen tiraient	ils auraient		senti

	Passé 2ᵉ forme	
j'	eusse	senti
tu	eusses	senti
il	eût	senti
n.	eussions	senti
v.	eussiez	senti
ils	eussent	senti

INFINITIF

Présent	Passé
sen tir	avoir senti

PARTICIPE

Présent	Passé
sen tant	sen ti, ie
	ayant senti

Ainsi se conjuguent **mentir**, **sentir**, **partir**, **se repentir**, **sortir** et leurs composés (page 98). Le participe passé *menti* est invariable mais *démenti, ie* s'accorde.
Départir employé d'ordinaire à la forme pronominale **se départir** se conjugue normalement comme **partir**, *i : je me départs..., je me départais..., se départant*. On peut regretter que de bons auteurs, sous l'influence sans doute de **répartir**, écrivent : *il se départissait, se départissant* et même, au présent de l'indicatif, *il se départit*.

INDICATIF

Présent		Passé composé	
je	vêts	j' ai	vêtu
tu	vêts	tu as	vêtu
il	vêt	il a	vêtu
nous	vêtons	n. avons	vêtu
vous	vêtez	v. avez	vêtu
ils	vêtent	ils ont	vêtu

Imparfait		Plus-que-parfait	
je	vêtais	j' avais	vêtu
tu	vêtais	tu avais	vêtu
il	vêtait	il avait	vêtu
nous	vêtions	n. avions	vêtu
vous	vêtiez	v. aviez	vêtu
ils	vêtaient	ils avaient	vêtu

Passé simple		Passé antérieur	
je	vêtis	j' eus	vêtu
tu	vêtis	tu eus	vêtu
il	vêtit	il eut	vêtu
nous	vêtîmes	n. eûmes	vêtu
vous	vêtîtes	v. eûtes	vêtu
ils	vêtirent	ils eurent	vêtu

Futur simple		Futur antérieur	
je	vêtirai	j' aurai	vêtu
tu	vêtiras	tu auras	vêtu
il	vêtira	il aura	vêtu
nous	vêtirons	n. aurons	vêtu
vous	vêtirez	v. aurez	vêtu
ils	vêtiront	ils auront	vêtu

SUBJONCTIF

Présent		Passé		
que je vête		que j'	aie	vêtu
que tu vêtes		que tu aies		vêtu
qu'il vête		qu'il	ait	vêtu
que n. vêtions		que n. ayons		vêtu
que v. vêtiez		que v. ayez		vêtu
qu'ils vêtent		qu'ils aient		vêtu

Imparfait		Plus-que-parfait		
que je vêtisse		que j'	eusse	vêtu
que tu vêtisses		que tu eusses		vêtu
qu'il vêtît		qu'il	eût	vêtu
que n. vêtissions		que n. eussions		vêtu
que v. vêtissiez		que v. eussiez		vêtu
qu'ils vêtissent		qu'ils eussent		vêtu

IMPÉRATIF

Présent	Passé	
vêts	aie	vêtu
vêtons	ayons	vêtu
vêtez	ayez	vêtu

CONDITIONNEL

Présent		Passé 1re forme		
je	vêtirais	j'	aurais	vêtu
tu	vêtirais	tu	aurais	vêtu
il	vêtirait	il	aurait	vêtu
n.	vêtirions	n.	aurions	vêtu
v.	vêtiriez	v.	auriez	vêtu
ils	vêtiraient	ils	auraient	vêtu

Passé 2e forme		
j'	eusse	vêtu
tu	eusses	vêtu
il	eût	vêtu
n.	eussions	vêtu
v.	eussiez	vêtu
ils	eussent	vêtu

INFINITIF

Présent	Passé
vêtir	avoir vêtu

PARTICIPE

Présent	Passé
vêtant	vêtu, ue
	ayant vêtu

Ainsi se conjuguent **dévêtir** et **revêtir**.

Le singulier du présent de l'indicatif et de l'impératif de *vêtir* est peu usité car un grand nombre d'écrivains conjuguent curieusement ce verbe sur *finir* : *Dieu leur a refusé le cocotier qui ombrage, loge,* **vêtit**, *nourrit et abreuve les enfants de Brahma* (VOLTAIRE). *Les sauvages vivaient et* **se vêtissaient** *du produit de leurs chasses* (CHATEAUBRIAND). *Comme un fils de Morven,* **me vêtissant** *d'orages...* (LAMARTINE). Ce serait faire preuve d'un rigorisme excessif que de ne pas accueillir des formes aussi autorisées à côté des formes un peu sourdes : *vêt, vêtent,* etc. Cependant dans les composés, les formes primitives sont seules admises : *il revêt, il revêtait, revêtant.*

INDICATIF

Présent		Passé composé	
je	couvr e	j' ai	couvert
tu	couvr es	tu as	couvert
il	couvr e	il a	couvert
nous	couvr ons	n. avons	couvert
vous	couvr ez	v. avez	couvert
ils	couvr ent	ils ont	couvert

Imparfait		Plus-que-parfait	
je	couvr ais	j' avais	couvert
tu	couvr ais	tu avais	couvert
il	couvr ait	il avait	couvert
nous	couvr ions	n. avions	couvert
vous	couvr iez	v. aviez	couvert
ils	couvr aient	ils avaient	couvert

Passé simple		Passé antérieur	
je	couvr is	j' eus	couvert
tu	couvr is	tu eus	couvert
il	couvr it	il eut	couvert
nous	couvr îmes	n. eûmes	couvert
cous	couvr îtes	v. eûtes	couvert
ils	couvr irent	ils eurent	couvert

Futur simple		Futur antérieur	
je	couvr irai	j' aurai	couvert
tu	couvr iras	tu auras	couvert
il	couvr ira	il aura	couvert
nous	couvr irons	n. aurons	couvert
vous	couvr irez	v. aurez	couvert
ils	couvr iront	ils auront	couvert

SUBJONCTIF

Présent		Passé	
que je	couvr e	que j' aie	couvert
que tu	couvr es	que tu aies	couvert
qu'il	couvr e	qu'il ait	couvert
que n.	couvr ions	que n. ayons	couvert
que v.	couvr iez	que v. ayez	couvert
qu'ils	couvr ent	qu'ils aient	couvert

Imparfait		Plus-que-parfait	
que je	couvr isse	que j' eusse	couvert
que tu	couvr isses	que tu eusses	couvert
qu'il	couvr ît	qu'il eût	couvert
que n.	couvr issions	que n. eussions	couvert
que v.	couvr issiez	que v. eussiez	couvert
qu'ils	couvr issent	qu'ils eussent	couvert

IMPÉRATIF

Présent	Passé	
couvr e	aie	couvert
couvr ons	ayons	couvert
couvr ez	ayez	couvert

CONDITIONNEL

Présent		Passé 1ʳᵉ forme	
je couvr irais		j' aurais	couvert
tu couvr irais		tu aurais	couvert
il couvr irait		il aurait	couvert
n. couvr irions		n. aurions	couvert
v. couvr iriez		v. auriez	couvert
ils couvr iraient		ils auraient	couvert

Passé 2ᵉ forme	
j' eusse	couvert
tu eusses	couvert
il eût	couvert
n. eussions	couvert
v. eussiez	couvert
ils eussent	couvert

INFINITIF

Présent	Passé
couvrir	avoir couvert

PARTICIPE

Présent	Passé
couvrant	couvert, te
	ayant couvert

Ainsi se conjuguent **couvrir, ouvrir, offrir, souffrir** et leurs composés (page 98). Remarquer l'analogie des terminaisons du présent de l'indicatif, de l'impératif et du subjonctif avec celles des verbes du 1ᵉʳ groupe.

INDICATIF

Présent		Passé composé	
je	cueill e	j' ai	cueilli
tu	cueill es	tu as	cueilli
il	cueill e	il a	cueilli
nous	cueill ons	n. avons	cueilli
vous	cueill ez	v. avez	cueilli
ils	cueill ent	ils ont	cueilli

Imparfait		Plus-que-parfait	
je	cueill ais	j' avais	cueilli
tu	cueill ais	tu avais	cueilli
il	cueill ait	il avait	cueilli
nous	cueill ions	n. avions	cueilli
vous	cueill iez	v. aviez	cueilli
ils	cueill aient	ils avaient	cueilli

Passé simple		Passé antérieur	
je	cueill is	j' eus	cueilli
tu	cueill is	tu eus	cueilli
il	cueill it	il eut	cueilli
nous	cueill îmes	n. eûmes	cueilli
vous	cueill îtes	v. eûtes	cueilli
ils	cueill irent	ils eurent	cueilli

Futur simple		Futur antérieur	
je	cueill erai	j' aurai	cueilli
tu	cueill eras	tu auras	cueilli
il	cueill era	il aura	cueilli
nous	cueill erons	n. aurons	cueilli
vous	cueill erez	v. aurez	cueilli
ils	cueill eront	ils auront	cueilli

SUBJONCTIF

Présent		Passé	
que je	cueill e	que j' aie	cueilli
que tu	cueill es	que tu aies	cueilli
qu'il	cueill e	qu'il ait	cueilli
que n.	cueill ions	que n. ayons	cueilli
que v.	cueill iez	que v. ayez	cueilli
qu'ils	cueill ent	qu'ils aient	cueilli

Imparfait		Plus-que-parfait	
que je	cueill isse	que j' eusse	cueilli
que tu	cueill isses	que tu eusses	cueilli
qu'il	cueill ît	qu'il eût	cueilli
que n.	cueill issions	que n. eussions	cueilli
que v.	cueill issiez	que v. eussiez	cueilli
qu'ils	cueill issent	qu'ils eussent	cueilli

IMPÉRATIF

Présent	Passé	
cueill e	aie	cueilli
cueill ons	ayons	cueilli
cueill ez	ayez	cueilli

CONDITIONNEL

Présent		Passé 1re forme	
je	cueill erais	j' aurais	cueilli
tu	cueill erais	tu aurais	cueilli
il	cueill erait	il aurait	cueilli
n.	cueill erions	n. aurions	cueilli
v.	cueill eriez	v. auriez	cueilli
ils	cueill eraient	ils auraient	cueilli

Passé 2e forme		
j'	eusse	cueilli
tu	eusses	cueilli
il	eût	cueilli
n.	eussions	cueilli
v.	eussiez	cueilli
ils	eussent	cueilli

INFINITIF

Présent	Passé
cueillir	avoir cueilli

PARTICIPE

Présent	Passé
cueill ant	cueill i, ie
	ayant cueilli

Ainsi se conjuguent **accueillir** et **recueillir.** Remarquer l'analogie des terminaisons de ce verbe avec celles du 1er groupe, en particulier au futur et au conditionnel : *je cueillerai* comme *j'aimerai.* (Mais le passé simple est *je cueillis,* différent de *j'aimai.*)

INDICATIF

Présent		Passé composé	
j'	ass aille	j' ai	assailli
tu	ass ailles	tu as	assailli
il	ass aille	il a	assailli
nous	ass aillons	n. avons	assailli
vous	ass aillez	v. avez	assailli
ils	ass aillent	ils ont	assailli

Imparfait		Plus-que-parfait	
j'	ass aillais	j' avais	assailli
tu	ass aillais	tu avais	assailli
il	ass aillait	il avait	assailli
nous	ass aillions	n. avions	assailli
vous	ass ailliez	v. aviez	assailli
ils	ass aillaient	ils avaient	assailli

Passé simple		Passé antérieur	
j'	ass aillis	j' eus	assailli
tu	ass aillis	tu eus	assailli
il	ass aillit	il eut	assailli
nous	ass aillîmes	n. eûmes	assailli
vous	ass aillîtes	v. eûtes	assailli
ils	ass aillirent	ils eurent	assailli

Futur simple		Futur antérieur	
j'	ass aillirai	j' aurai	assailli
tu	ass ailliras	tu auras	assailli
il	ass aillira	il aura	assailli
nous	ass aillirons	n. aurons	assailli
vous	ass aillirez	v. aurez	assailli
ils	ass ailliront	ils auront	assailli

SUBJONCTIF

Présent		Passé	
que j'	ass aille	que j' aie	assailli
que tu	ass ailles	que tu aies	assailli
qu'il	ass aille	qu'il ait	assailli
que n.	ass aillions	que n. ayons	assailli
que v.	ass ailliez	que v. ayez	assailli
qu'ils	ass aillent	qu'ils aient	assailli

Imparfait		Plus-que-parfait	
que j'	ass aillisse	que j' eusse	assailli
que tu	ass aillisses	que tu eusses	assailli
qu'il	ass aillît	qu'il eût	assailli
que n.	ass aillissions	que n. eussions	assailli
que v.	ass aillissiez	que v. eussiez	assailli
qu'ils	ass aillissent	qu'ils eussent	assailli

IMPÉRATIF

Présent	Passé	
ass aille	aie	assailli
ass aillons	ayons	assailli
ass aillez	ayez	assailli

CONDITIONNEL

Présent	Passé 1re forme	
j' ass aillirais	j' aurais	assailli
tu ass aillirais	tu aurais	assailli
il ass aillirait	il aurait	assailli
n. ass aillirions	n. aurions	assailli
v. ass ailliriez	v. auriez	assailli
ils ass ailliraient	ils auraient	assailli

Passé 2e forme	
j' eusse	assailli
tu eusses	assailli
il eût	assailli
n. eussions	assailli
v. eussiez	assailli
ils eussent	assailli

INFINITIF

Présent	Passé
ass aillir	avoir assailli

PARTICIPE

Présent	Passé
ass aillant	ass ailli, ie
	ayant assailli

Ainsi se conjuguent **tressaillir** et **défaillir** (cf. page suivante). Si quelques prosateurs célèbres ont risqué : *il tressaillit* au présent de l'indicatif, le dictionnaire de l'Académie, loin d'autoriser cette licence, écrit : *il tressaille de joie*. De même pour *je tressaillerai*, en regard de la seule forme correcte : *je tressaillirai*.

Saillir fait au futur *il saillera, ils sailleront*.

INDICATIF

Présent		Passé composé
je	faux	j'ai failli, etc.
tu	faux	
il	faut	
nous	faillons	
vous	faillez	
ils	faillent	

Imparfait	Plus-que-parfait
je faillais, etc.	j'avais failli...

Passé simple	Passé antérieur
je faillis, etc.	j'eus failli, etc.

Futur simple	Futur antérieur
je faillirai, etc.	j'aurai failli, etc.
je faudrai, etc.	

SUBJONCTIF

Présent	Passé
que je faille, etc.	que j'aie failli, etc.

Imparfait	Plus-que-parfait
que je faillisse, etc.	que j'eusse failli

IMPÉRATIF

Présent

....

CONDITIONNEL

Présent	Passé 1re forme
je faillirais, etc.	j'aurais failli...
je faudrais, etc.	

INFINITIF

Présent	Passé
faillir	avoir failli

PARTICIPE

Présent	Passé
faillant	failli, ayant failli

Le verbe **faillir** a trois emplois distincts :

1. Au sens de *manquer de* (semi-auxiliaire suivi de l'infinitif) : *j'ai failli tomber*, il n'a que le passé simple : *je faillis;* le futur, le conditionnel : *je faillirai, je faillirais*, et tous les temps composés du type *avoir failli.*

2. Ces mêmes formes sont usitées avec le sens de *manquer à* : *je ne faillirai jamais à mon devoir.* Mais dans cette acception on trouve aussi quelques formes archaïques qui survivent surtout dans des expressions toutes faites comme *Le cœur me faut.* Ce sont elles qui sont signalées ci-dessus en italique.

3. Enfin au sens de *faire faillite* ce verbe se conjugue régulièrement sur **finir,** mais il est pratiquement inusité, sauf au participe passé employé comme nom : *un failli.*

VERBE **DÉFAILLIR**

Les formes en italique sont tout à fait désuètes.
Ce verbe se conjugue sur **assaillir** (tableau 29), mais certains temps sont moins usités (présent de l'indicatif au singulier, futur simple et conditionnel présent), sans doute en raison d'hésitations dues à la persistance de formes archaïques aujourd'hui sorties de l'usage, telles que :

Indicatif présent : je défaus, tu défaus, il défaut
Indicatif futur : je défaudrai, etc.

Mais ces hésitations n'autorisent pas à dire au futur : *je défaillerai* pour *je défaillirai.*

31 VERBE **BOUILLIR**

INDICATIF

Présent

je	bous
tu	bous
il	bout
nous	bouill ons
vous	bouill ez
ils	bouill ent

Passé composé

j'	ai	bouilli
tu	as	bouilli
il	a	bouilli
n.	avons	bouilli
v.	avez	bouilli
ils	ont	bouilli

Imparfait

je	bouill ais
tu	bouill ais
il	bouill ait
nous	bouill ions
vous	bouill iez
ils	bouill aient

Plus-que-parfait

j'	avais	bouilli
tu	avais	bouilli
il	avait	bouilli
n.	avions	bouilli
v.	aviez	bouilli
ils	avaient	bouilli

Passé simple

je	bouill is
tu	bouill is
il	bouill it
nous	bouill îmes
vous	bouill îtes
ils	bouill irent

Passé antérieur

j'	eus	bouilli
tu	eus	bouilli
il	eut	bouilli
n.	eûmes	bouilli
v.	eûtes	bouilli
ils	eurent	bouilli

Futur simple

je	bouill irai
tu	bouill iras
il	bouill ira
nous	bouill irons
vous	bouill irez
ils	bouill iront

Futur antérieur

j'	aurai	bouilli
tu	auras	bouilli
il	aura	bouilli
n.	aurons	bouilli
v.	aurez	bouilli
ils	auront	bouilli

SUBJONCTIF

Présent

que je	bouill e
que tu	bouill es
qu'il	bouill e
que n.	bouill ions
que v.	bouill iez
qu'ils	bouill ent

Passé

que j'	aie	bouilli
que tu	aies	bouilli
qu'il	ait	bouilli
que n.	ayons	bouilli
que v.	ayez	bouilli
qu'ils	aient	bouilli

Imparfait

que je	bouill isse
que tu	bouill isses
qu'il	bouill ît
que n.	bouill issions
que v.	bouill issiez
qu'ils	bouill issent

Plus-que-parfait

que j'	eusse	bouilli
que tu	eusses	bouilli
qu'il	eût	bouilli
que n.	eussions	bouilli
que v.	eussiez	bouilli
qu'ils	eussent	bouilli

IMPÉRATIF

Présent

bou s
bouill ons
bouill ez

Passé

aie	bouilli
ayons	bouilli
ayez	bouilli

CONDITIONNEL

Présent

je	bouill irais
tu	bouill irais
il	bouill irait
n.	bouill irions
v.	bouill iriez
ils	bouill iraient

Passé 1re forme

j'	aurais	bouilli
tu	aurais	bouilli
il	aurait	bouilli
n.	aurions	bouilli
v.	auriez	bouilli
ils	auraient	bouilli

Passé 2e forme

j'	eusse	bouilli
tu	eusses	bouilli
il	eût	bouilli
n.	eussions	bouilli
v.	eussiez	bouilli
ils	eussent	bouilli

INFINITIF

Présent

bouill ir

Passé

avoir bouilli

PARTICIPE

Présent

bouill ant

Passé

bouill i, ie
ayant bouilli

INDICATIF

Présent		Passé composé	
je	dors	j' ai	dormi
tu	dors	tu as	dormi
il	dort	il a	dormi
nous	dorm ons	n. avons	dormi
vous	dorm ez	v. avez	dormi
ils	dorm ent	ils ont	dormi

Imparfait		Plus-que-parfait	
je	dorm ais	j' avais	dormi
tu	dorm ais	tu avais	dormi
il	dorm ait	il avait	dormi
nous	dorm ions	n. avions	dormi
vous	dorm iez	v. aviez	dormi
ils	dorm aient	ils avaient	dormi

Passé simple		Passé antérieur	
je	dorm is	j' eus	dormi
tu	dorm is	tu eus	dormi
il	dorm it	il eut	dormi
nous	dorm îmes	n. eûmes	dormi
vous	dorm îtes	v. eûtes	dormi
ils	dorm irent	ils eurent	dormi

Futur simple		Futur antérieur	
je	dorm irai	j' aurai	dormi
tu	dorm iras	tu auras	dormi
il	dorm ira	il aura	dormi
nous	dorm irons	n. aurons	dormi
vous	dorm irez	v. aurez	dormi
ils	dorm iront	ils auront	dormi

INFINITIF

Présent	Passé
dorm ir	avoir dormi

SUBJONCTIF

Présent		Passé	
que je	dorm e	que j' aie	dormi
que tu	dorm es	que tu aies	dormi
qu'il	dorm e	qu'il ait	dormi
que n.	dorm ions	que n. ayons	dormi
que v.	dorm iez	que v. ayez	dormi
qu'ils	dorm ent	qu'ils aient	dormi

Imparfait		Plus-que-parfait	
que je	dorm isse	que j' eusse	dormi
que tu	dorm isses	que tu eusses	dormi
qu'il	dorm ît	qu'il eût	dormi
que n.	dorm issions	que n. eussions	dormi
que v.	dorm issiez	que v. eussiez	dormi
qu'ils	dorm issent	qu'ils eussent	dormi

IMPÉRATIF

Présent	Passé	
dors	aie	dormi
dorm ons	ayons	dormi
dorm ez	ayez	dormi

CONDITIONNEL

Présent		Passé 1ʳᵉ forme	
je	dorm irais	j' aurais	dormi
tu	dorm irais	tu aurais	dormi
il	dorm irait	il aurait	dormi
n.	dorm irions	n. aurions	dormi
v.	dorm iriez	v. auriez	dormi
ils	dorm iraient	ils auraient	dormi

Passé 2ᵉ forme		
j'	eusse	dormi
tu	eusses	dormi
il	eût	dormi
n.	eussions	dormi
v.	eussiez	dormi
ils	eussent	dormi

PARTICIPE

Présent	Passé
dorm ant	dorm i
	ayant dormi

Ainsi se conjuguent **redormir, endormir, rendormir**. Ces deux derniers verbes ont le participe passé variable, *endormi, endormie,* alors que le féminin *dormie* est pratiquement inusité.

33 VERBE COURIR

INDICATIF

Présent	Passé composé
je cours	j' ai couru
tu cours	tu as couru
il court	il a couru
nous courons	n. avons couru
vous courez	v. avez couru
ils courent	ils ont couru

Imparfait	Plus-que-parfait
je courais	j' avais couru
tu courais	tu avais couru
il courait	il avait couru
nous courions	n. avions couru
vous couriez	v. aviez couru
ils couraient	ils avaient couru

Passé simple	Passé antérieur
je courus	j' eus couru
tu courus	tu eus couru
il courut	il eut couru
nous courûmes	n. eûmes couru
vous courûtes	v. eûtes couru
ils coururent	ils eurent couru

Futur simple	Futur antérieur
je courrai	j' aurai couru
tu courras	tu auras couru
il courra	il aura couru
nous courrons	n. aurons couru
vous courrez	v. aurez couru
ils courront	ils auront couru

INFINITIF

Présent	Passé
courir	avoir couru

SUBJONCTIF

Présent	Passé
que je coure	que j' aie couru
que tu coures	que tu aies couru
qu'il coure	qu'il ait couru
que n. courions	que n. ayons couru
que v. couriez	que v. ayez couru
qu'ils courent	qu'ils aient couru

Imparfait	Plus-que-parfait
que je courusse	que j' eusse couru
que tu courusses	que tu eusses couru
qu'il courût	qu'il eût couru
que n. courussions	que n. eussions couru
que v. courussiez	que v. eussiez couru
qu'ils courussent	qu'ils eussent couru

IMPÉRATIF

Présent	Passé
cours	aie couru
courons	ayons couru
courez	ayez couru

CONDITIONNEL

Présent	Passé 1ʳᵉ forme
je courrais	j' aurais couru
tu courrais	tu aurais couru
il courrait	il aurait couru
n. courrions	n. aurions couru
v. courriez	v. auriez couru
ils courraient	ils auraient couru

Passé 2ᵉ forme	
j' eusse couru
tu eusses couru
il eût couru
n. eussions couru
v. eussiez couru
ils eussent couru

PARTICIPE

Présent	Passé
courant	couru, ue
	ayant couru

Ainsi se conjuguent les composés de **courir** (page 98).
Remarquer les deux **r** du futur et du conditionnel présent : *je courrai, je courrais.*

INDICATIF

Présent

je	meurs		
tu	meurs		
il	meurt		
nous	mourons		
vous	mourez		
ils	meurent		

Passé composé

je	suis	mort
tu	es	mort
il	est	mort
n.	sommes	morts
v.	êtes	morts
ils	sont	morts

Imparfait

je	mourais
tu	mourais
il	mourait
nous	mourions
vous	mouriez
ils	mouraient

Plus-que-parfait

j'	étais	mort
tu	étais	mort
il	était	mort
n.	étions	morts
v.	étiez	morts
ils	étaient	morts

Passé simple

je	mourus
tu	mourus
il	mourut
nous	mourûmes
vous	mourûtes
ils	moururent

Passé antérieur

je	fus	mort
tu	fus	mort
il	fut	mort
n.	fûmes	morts
v.	fûtes	morts
ils	furent	morts

Futur simple

je	mourrai
tu	mourras
il	mourra
nous	mourrons
vous	mourrez
ils	mourront

Futur antérieur

je	serai	mort
tu	seras	mort
il	sera	mort
n.	serons	morts
v.	serez	morts
ils	seront	morts

SUBJONCTIF

Présent

que je	meure
que tu	meures
qu'il	meure
que n.	mourions
que v.	mouriez
qu'ils	meurent

Passé

que je	sois	mort
que tu	sois	mort
qu'il	soit	mort
que n.	soyons	morts
que v.	soyez	morts
qu'ils	soient	morts

Imparfait

que je	mourusse
que tu	mourusses
qu'il	mourût
que n.	mourussions
que v.	mourussiez
qu'ils	mourussent

Plus-que-parfait

que je	fusse	mort
que tu	fusses	mort
qu'il	fût	mort
que n.	fussions	morts
que v.	fussiez	morts
qu'ils	fussent	morts

IMPÉRATIF

Présent

meurs
mourons
mourez

Passé

sois	mort
soyons	morts
soyez	morts

CONDITIONNEL

Présent

je	mourrais
tu	mourrais
il	mourrait
n.	mourrions
v.	mourriez
ils	mourraient

Passé 1re forme

je	serais	mort
tu	serais	mort
il	serait	mort
n.	serions	morts
v.	seriez	morts
ils	seraient	morts

Passé 2e forme

je	fusse	mort
tu	fusses	mort
il	fût	mort
n.	fussions	morts
v.	fussiez	morts
ils	fussent	morts

INFINITIF

Présent	Passé
mourir	être mort

PARTICIPE

Présent	Passé
mourant	mort, te
	étant mort

Remarquer le redoublement de l'**r** au futur et au conditionnel présent : *je mourrai, je mourrais,* et l'emploi de l'auxiliaire **être** dans les temps composés.

35 VERBE **SERVIR**

INDICATIF

Présent

je	sers
tu	sers
il	sert
nous	serv ons
vous	serv ez
ils	serv ent

Passé composé

j'	ai	servi
tu	as	servi
il	a	servi
n.	avons	servi
v.	avez	servi
ils	ont	servi

Imparfait

je	serv ais
tu	serv ais
il	serv ait
nous	serv ions
vous	serv iez
ils	serv aient

Plus-que-parfait

j'	avais	servi
tu	avais	servi
il	avait	servi
n.	avions	servi
v.	aviez	servi
ils	avaient	servi

Passé simple

je	serv is
tu	serv is
il	serv it
nous	serv îmes
vous	serv îtes
ils	serv irent

Passé antérieur

j'	eus	servi
tu	eus	servi
il	eut	servi
n.	eûmes	servi
v.	eûtes	servi
ils	eurent	servi

Futur simple

je	serv irai
tu	serv iras
il	serv ira
nous	serv irons
vous	serv irez
ils	serv iront

Futur antérieur

j'	aurai	servi
tu	auras	servi
il	aura	servi
n.	aurons	servi
v.	aurez	servi
ils	auront	servi

SUBJONCTIF

Présent

que je	serv e
que tu	serv es
qu'il	serv e
que n.	serv ions
que v.	serv iez
qu'ils	serv ent

Passé

que j'	aie	servi
que tu	aies	servi
qu'il	ait	servi
que n.	ayons	servi
que v.	ayez	servi
qu'ils	aient	servi

Imparfait

que je	serv isse
que tu	serv isses
qu'il	serv ît
que n.	serv issions
que v.	serv issiez
qu'ils	serv issent

Plus-que-parfait

que j'	eusse	servi
que tu	eusses	servi
qu'il	eût	servi
que n.	eussions	servi
que v.	eussiez	servi
qu'ils	eussent	servi

IMPÉRATIF

Présent

sers
serv ons
serv ez

Passé

aie servi
ayons servi.
ayez servi

CONDITIONNEL

Présent

je	serv irais
tu	serv irais
il	serv irait
n.	serv irions
v.	serv iriez
ils	serv iraient

Passé 1re forme

j'	aurais	servi
tu	aurais	servi
il	aurait	servi
n.	aurions	servi
v.	auriez	servi
ils	auraient	servi

Passé 2e forme

j'	eusse	servi
tu	eusses	servi
il	eût	servi
n.	eussions	servi
v.	eussiez	servi
ils	eussent	servi

INFINITIF

Présent

serv ir

Passé

avoir servi

PARTICIPE

Présent

serv ant

Passé

serv i, ie
ayant servi

Ainsi se conjuguent **desservir, resservir**. Mais **asservir** se conjugue sur **finir**.

INDICATIF

Présent		Passé composé		
je	fuis	j'	ai	fui
tu	fuis	tu	as	fui
il	fuit	il	a	fui
nous	fuyons	n.	avons	fui
vous	fuyez	v.	avez	fui
ils	fuient	ils	ont	fui

Imparfait		Plus-que-parfait		
je	fuyais	j'	avais	fui
tu	fuyais	tu	avais	fui
il	fuyait	il	avait	fui
nous	fuyions	n.	avions	fui
vous	fuyiez	v.	aviez	fui
ils	fuyaient	ils	avaient	fui

Passé simple		Passé antérieur		
je	fuis	j'	eus	fui
tu	fuis	tu	eus	fui
il	fuit	il	eut	fui
nous	fuîmes	n.	eûmes	fui
vous	fuîtes	v.	eûtes	fui
ils	fuirent	ils	eurent	fui

Futur simple		Futur antérieur		
je	fuirai	j'	aurai	fui
tu	tuiras	tu	auras	fui
il	fuira	il	aura	fui
nous	fuirons	n.	aurons	fui
vous	fuirez	v.	aurez	fui
ils	fuiront	ils	auront	fui

INFINITIF

Présent	Passé
fuir	avoir fui

PARTICIPE

Présent	Passé
fuyant	fui, ie
	ayant fui

SUBJONCTIF

Présent	Passé		
que je fuie	que j'	aie	fui
que tu fuies	que tu aies		fui
qu'il fuie	qu'il	ait	fui
que n. fuyions	que n. ayons		fui
que v. fuyiez	que v. ayez		fui
qu'ils fuient	qu'ils aient		fui

Imparfait	Plus-que-parfait		
que je fuisse	que j'	eusse	fui
que tu fuisses	que tu eusses		fui
qu'il fuît	qu'il	eût	fui
que n. fuissions	que n. eussions		fui
que v. fuissiez	que v. eussiez		fui
qu'ils fuissent	qu'ils eussent		fui

IMPÉRATIF

Présent	Passé	
fuis	aie	fui
fuyons	ayons	fui
fuyez	ayez	fui

CONDITIONNEL

Présent		Passé 1ʳᵉ forme		
je	fuirais	j'	aurais	fui
tu	fuirais	tu	aurais	fui
il	fuirait	il	aurait	fui
n.	fuirions	n.	aurions	fui
v.	fuiriez	v.	auriez	fui
ils	fuiraient	ils	auraient	fui

Passé 2ᵉ forme		
j'	eusse	fui
tu	eusses	fui
il	eût	fui
n.	eussions	fui
v.	eussiez	fui
ils	eussent	fui

Ainsi se conjugue s'**enfuir**.

37 VERBE OUÏR

INDICATIF

Présent		Passé composé	
j'	ois	j'ai	ouï
tu	ois		
il	oit		
nous	oyons		
vous	oyez		
ils	oient		

Imparfait		Plus-que-parfait
j'	oyais	j'avais ouï

Passé simple		Passé antérieur
j'	ouïs	j'eus ouï

Futur simple		Futur antérieur
j'	ouïrai	j'aurai ouï
j'	orrai	
j'	oirai	

SUBJONCTIF

Présent	Passé
que j' oie	que j'aie ouï
que tu oies	
qu'il oie	
que n. oyions	
que v. oyiez	
qu'ils oient	

Imparfait	Plus-que-parfait
que j' ouïsse	que j'eusse ouï

CONDITIONNEL — **IMPÉRATIF**

Présent	Présent
j'ouïrais	ois
j'orrais	oyons
j'oirais	oyez

Passé 1re forme

j'aurais ouï

INFINITIF

Présent	Passé
ouïr	avoir ouï

PARTICIPE

Présent	Passé
oyant	ouï, ïe ayant ouï

Le verbe **ouïr** a définitivement cédé la place à **entendre.** Il n'est plus employé qu'à l'infinitif et dans l'expression « *par ouï-dire* ». La conjugaison archaïque est donnée ci-dessus en italique, excepté pour les formes qui se sont maintenues le plus longtemps. A noter le futur *j'ouïrai,* refait d'après l'infinitif sur le modèle de : **sentir, je sentirai.**

VERBE GÉSIR

Ce verbe, qui signifie : *être couché,* n'est plus d'usage qu'aux formes ci-après :

INDICATIF	Présent		Imparfait		**PARTICIPE**	Présent
	je	gis	je	gisais		gisant
	tu	gis	tu	gisais		
	il	gît	il	gisait		
	nous	gisons	nous	gisions		
	vous	gisez	vous	gisiez		
	ils	gisent	ils	gisaient		

On n'emploie guère le verbe **gésir** qu'en parlant des personnes malades ou mortes, et de choses renversées par le temps ou la destruction : *Nous* **gisions** *tous les deux sur le pavé d'un cachot, malades et privés de secours. Son cadavre* **gît** *maintenant dans le tombeau. Des colonnes* **gisant** *éparses* (Académie). Cf. l'inscription funéraire : *ci-gît.*

INDICATIF

Présent		Passé composé	
je	re çois	j' ai	reçu
tu	re çois	tu as	reçu
il	re çoit	il a	reçu
nous	re cevons	n. avons	reçu
vous	re cevez	v. avez	reçu
ils	re çoivent	ils ont	reçu

Imparfait		Plus-que-parfait	
je	re cevais	j' avais	reçu
tu	re cevais	tu avais	reçu
il	re cevait	il avait	reçu
nous	re cevions	n. avions	reçu
vous	re ceviez	v. aviez	reçu
ils	re cevaient	ils avaient	reçu

Passé simple		Passé antérieur	
je	re çus	j' eus	reçu
tu	re çus	tu eus	reçu
il	re çut	il eut	reçu
nous	re çûmes	n. eûmes	reçu
vous	re çûtes	v. eûtes	reçu
ils	re çurent	ils eurent	reçu

Futur simple		Futur antérieur	
je	re cevrai	j' aurai	reçu
tu	re cevras	tu auras	reçu
il	re cevra	il aura	reçu
nous	re cevrons	n. aurons	reçu
vous	re cevrez	v. aurez	reçu
ils	re cevront	ils auront	reçu

INFINITIF

Présent	Passé
re cevoir	avoir reçu

SUBJONCTIF

Présent		Passé	
que je	re çoive	que j' aie	reçu
que tu	re çoives	que tu aies	reçu
qu'il	re çoive	qu'il ait	reçu
que n.	re cevions	que n. ayons	reçu
que v.	re ceviez	que v. ayez	reçu
qu'ils	re çoivent	qu'ils aient	reçu

Imparfait		Plus-que-parfait	
que je	re çusse	que j' eusse	reçu
que tu	re çusses	que tu eusses	reçu
qu'il	re çût	qu'il eût	reçu
que n.	re çussions	que n. eussions	reçu
que v.	re çussiez	que v. eussiez	reçu
qu'ils	re çussent	qu'ils eussent	reçu

IMPÉRATIF

Présent	Passé	
re çois	aie	reçu
re cevons	ayons	reçu
re cevez	ayez	reçu

CONDITIONNEL

Présent		Passé 1re forme	
je	re cevrais	j' aurais	reçu
tu	re cevrais	tu aurais	reçu
il	re cevrait	il aurait	reçu
n.	re cevrions	n. aurions	reçu
v.	re cevriez	v. auriez	reçu
ils	re cevraient	ils auraient	reçu

Passé 2e forme		
j'	eusse	reçu
tu	eusses	reçu
il	eût	reçu
n.	eussions	reçu
v.	eussiez	reçu
ils	eussent	reçu

PARTICIPE

Présent	Passé
re cevant	re çu, ue
	ayant reçu

La cédille est placée sous le **c** chaque fois qu'il précède un **o** ou un **u**.
Ainsi se conjuguent **apercevoir, concevoir, décevoir, percevoir.**

INDICATIF

Présent		Passé composé	
je	vois	j' ai	vu
tu	vois	tu as	vu
il	voit	il a	vu
nous	voyons	n. avons	vu
vous	voyez	v. avez	vu
ils	voient	ils ont	vu

Imparfait		Plus-que-parfait	
je	voyais	j' avais	vu
tu	voyais	tu avais	vu
il	voyait	il avait	vu
nous	voyions	n. avions	vu
vous	voyiez	v. aviez	vu
ils	voyaient	ils avaient	vu

Passé simple		Passé antérieur	
je	vis	j' eus	vu
tu	vis	tu eus	vu
il	vit	il eut	vu
nous	vîmes	n. eûmes	vu
vous	vîtes	v. eûtes	vu
ils	virent	ils eurent	vu

Futur simple		Futur antérieur	
je	verrai	j' aurai	vu
tu	verras	tu auras	vu
il	verra	il aura	vu
nous	verrons	n. aurons	vu
vous	verrez	v. aurez	vu
ils	verront	ils auront	vu

SUBJONCTIF

Présent		Passé	
que je	voie	que j' aie	vu
que tu	voies	que tu aies	vu
qu'il	voie	qu'il ait	vu
que n.	voyions	que n. ayons	vu
que v.	voyiez	que v. ayez	vu
qu'ils	voient	qu'ils aient	vu

Imparfait		Plus-que-parfait	
que je	visse	que j' eusse	vu
que tu	visses	que tu eusses	vu
qu'il	vît	qu'il eût	vu
que n.	vissions	que n. eussions	vu
que v.	vissiez	que v. eussiez	vu
qu'ils	vissent	qu'ils eussent	vu

IMPÉRATIF

Présent	Passé	
vois	aie	vu
voyons	ayons	vu
voyez	ayez	vu

CONDITIONNEL

Présent		Passé 1ʳᵉ forme		
je	verrais	j'	aurais	vu
tu	verrais	tu	aurais	vu
il	verrait	il	aurait	vu
n.	verrions	n.	aurions	vu
v.	verriez	v.	auriez	vu
ils	verraient	ils	auraient	vu

Passé 2ᵉ forme		
j'	eusse	vu
tu	eusses	vu
il	eût	vu
n.	eussions	vu
v.	eussiez	vu
ils	eussent	vu

INFINITIF

Présent	Passé
voir	avoir vu

PARTICIPE

Présent	Passé
voyant	vu ue
	ayant vu

Ainsi se conjuguent **entrevoir, revoir,** prévoir. Ce dernier fait au futur et au conditionnel : *je prévoirai... je prévoirais...*

INDICATIF

Présent		Passé composé	
je	pourvois	j' ai	pourvu
tu	pourvois	tu as	pourvu
il	pourvoit	il a	pourvu
nous	pourvoyons	n. avons	pourvu
vous	pourvoyez	v. avez	pourvu
ils	pourvoient	ils ont	pourvu

Imparfait		Plus-que-parfait	
je	pourvoyais	j' avais	pourvu
tu	pourvoyais	tu avais	pourvu
il	pourvoyait	il avait	pourvu
nous	pourvoyions	n. avions	pourvu
vous	pourvoyiez	v. aviez	pourvu
ils	pourvoyaient	ils avaient	pourvu

Passé simple		Passé antérieur	
je	pourvus	j' eus	pourvu
tu	pourvus	tu eus	pourvu
il	pourvut	il eut	pourvu
nous	pourvûmes	n. eûmes	pourvu
vous	pourvûtes	v. eûtes	pourvu
ils	pourvurent	ils eurent	pourvu

Futur simple		Futur antérieur	
je	pourvoirai	j' aurai	pourvu
tu	pourvoiras	tu auras	pourvu
il	pourvoira	il aura	pourvu
nous	pourvoirons	n. aurons	pourvu
vous	pourvoirez	v. aurez	pourvu
ils	pourvoiront	ils auront	pourvu

SUBJONCTIF

Présent		Passé	
que je pourvoie		que j' aie	pourvu
que tu pourvoies		que tu aies	pourvu
qu'il pourvoie		qu'il ait	pourvu
que n. pourvoyions		que n. ayons	pourvu
que v. pourvoyiez		que v. ayez	pourvu
qu'ils pourvoient		qu'ils aient	pourvu

Imparfait		Plus-que-parfait	
que je pourvusse		que j' eusse	pourvu
que tu pourvusses		que tu eusses	pourvu
qu'il pourvût		qu'il eût	pourvu
que n. pourvussions		que n. eussions	pourvu
que v. pourvussiez		que v. eussiez	pourvu
qu'ils pourvussent		qu'ils eussent	pourvu

IMPÉRATIF

Présent	Passé	
pourvois	aie	pourvu
pourvoyons	ayons	pourvu
pourvoyez	ayez	pourvu

CONDITIONNEL

Présent		Passé 1re forme	
je pourvoirais		j' aurais	pourvu
tu pourvoirais		tu aurais	pourvu
il pourvoirait		il aurait	pourvu
n. pourvoirions		n. aurions	pourvu
v. pourvoiriez		v. auriez	pourvu
ils pourvoiraient		ils auraient	pourvu

Passé 2e forme	
j' eusse	pourvu
tu eusses	pourvu
il eût	pourvu
n. eussions	pourvu
v. eussiez	pourvu
ils eussent	pourvu

INFINITIF

Présent	Passé
pourvoir	avoir pourvu

PARTICIPE

Présent	Passé
pourvoyant	pourvu, ue
	ayant pourvu

Pourvoir se conjugue comme le verbe simple **voir** (tableau 39) sauf au futur et au conditionnel : *je pourvoirai, je pourvoirais;* au passé simple et au subjonctif imparfait : *je pourvus, que je pourvusse.*
Dépourvoir s'emploie rarement et seulement au passé simple, à l'infinitif, au participe passé et aux temps composés : *Il le dépourvut de tout.* On l'utilise surtout à la forme pronominale : *Je me suis dépourvu de tout pour vous.*

41 VERBE **SAVOIR**

INDICATIF

Présent

je	sais
tu	sais
il	sait
nous	savons
vous	savez
ils	savent

Passé composé

j'	ai	su
tu	as	su
il	a	su
n.	avons	su
v.	avez	su
ils	ont	su

Imparfait

je	savais
tu	savais
il	savait
nous	savions
vous	saviez
ils	savaient

Plus-que-parfait

j'	avais	su
tu	avais	su
il	avait	su
n.	avions	su
v.	aviez	su
ils	avaient	su

Passé simple

je	sus
tu	sus
il	sut
nous	sûmes
vous	sûtes
ils	surent

Passé antérieur

j'	eus	su
tu	eus	su
il	eut	su
n.	eûmes	su
v.	eûtes	su
ils	eurent	su

Futur simple

je	saurai
tu	sauras
il	saura
nous	saurons
vous	saurez
ils	sauront

Futur antérieur

j'	aurai	su
tu	auras	su
il	aura	su
n.	aurons	su
v.	aurez	su
ils	auront	su

SUBJONCTIF

Présent

que je	sache
que tu	saches
qu'il	sache
que n.	sachions
que v.	sachiez
qu'ils	sachent

Passé

que j'	aie	su
que tu	aies	su
qu'il	ait	su
que n.	ayons	su
que v.	ayez	su
qu'ils	aient	su

Imparfait

que je	susse
que tu	susses
qu'il	sût
que n.	sussions
que v.	sussiez
qu'ils	sussent

Plus-que-parfait

que j'	eusse	su
que tu	eusses	su
qu'il	eût	su
que n.	eussions	su
que v.	eussiez	su
qu'ils	eussent	su

IMPÉRATIF

Présent

sache
sachons
sachez

Passé

aie	su
ayons	su
ayez	su

CONDITIONNEL

Présent

je	saurais
tu	saurais
il	saurait
n.	saurions
v.	sauriez
ils	sauraient

Passé 1ʳᵉ forme

j'	aurais	su
tu	aurais	su
il	aurait	su
n.	aurions	su
v.	auriez	su
ils	auraient	su

Passé 2ᵉ forme

j'	eusse	su
tu	eusses	su
il	eût	su
n.	eussions	su
v.	eussiez	su
ils	eussent	su

INFINITIF

Présent	Passé
savoir	avoir su

PARTICIPE

Présent	Passé
sachant	su, ue
	ayant su

A noter l'emploi curieux du subjonctif dans les expressions : **je ne sache pas** *qu'il soit venu ; il n'est pas venu,* **que je sache.**

INDICATIF

Présent		Passé composé	
je	dois	j' ai	dû
tu	dois	tu as	dû
il	doit	il a	dû
nous	devons	n. avons	dû
vous	devez	v. avez	dû
ils	doivent	ils ont	dû

Imparfait		Plus-que-parfait	
je	devais	j' avais	dû
tu	devais	tu avais	dû
il	devait	il avait	dû
nous	devions	n. avions	dû
vous	deviez	v. aviez	dû
ils	devaient	ils avaient	dû

Passé simple		Passé antérieur	
je	dus	j' eus	dû
tu	dus	tu eus	dû
il	dut	il eut	dû
nous	dûmes	n. eûmes	dû
vous	dûtes	v. eûtes	dû
ils	durent	ils eurent	dû

Futur simple		Futur antérieur	
je	devrai	j' aurai	dû
tu	devras	tu auras	dû
il	devra	il aura	dû
nous	devrons	n. aurons	dû
vous	devrez	v. aurez	dû
ils	devront	ils auront	dû

SUBJONCTIF

Présent		Passé	
que je	doive	que j' aie	dû
que tu	doives	que tu aies	dû
qu'il	doive	qu'il ait	dû
que n.	devions	que n. ayons	dû
que v.	deviez	que v. ayez	dû
qu'ils	doivent	qu'ils aient	dû

Imparfait		Plus-que-parfait	
que je	dusse	que j' eusse	dû
que tu	dusses	que tu eusses	dû
qu'il	dût	qu'il eût	dû
que n.	dussions	que n. eussions	dû
que v.	dussiez	que v. eussiez	dû
qu'ils	dussent	qu'ils eussent	dû

IMPÉRATIF

Présent	Passé	
dois	aie	dû
devons	ayons	dû
devez	ayez	dû

CONDITIONNEL

Présent		Passé 1ʳᵉ forme	
je	devrais	j' aurais	dû
tu	devrais	tu aurais	dû
il	devrait	il aurait	dû
n.	devrions	n. aurions	dû
v.	devriez	v. auriez	dû
ils	devraient	ils auraient	dû

Passé 2ᵉ forme	
j' eusse	dû
tu eusses	dû
il eût	dû
n. eussions	dû
v. eussiez	dû
ils eussent	dû

INFINITIF

Présent	Passé
devoir	avoir dû

PARTICIPE

Présent	Passé
devant	dû, ue
	ayant dû

Ainsi se conjuguent **devoir** et **redevoir** qui prennent un accent circonflexe au participe passé *masculin singulier* seulement : *dû, redû.* Mais on écrit sans accent : *due, dus, dues; redue, redus, redues.* L'impératif est peu usité.

43 VERBE **POUVOIR**

INDICATIF

Présent		Passé composé	
je	peux	j' ai	pu
ou je	puis	tu as	pu
tu	peux	il a	pu
il	peut	n. avons	pu
nous	pouvons	v. avez	pu
vous	pouvez	ils ont	pu
ils	peuvent		

Imparfait		Plus-que-parfait	
je	pouvais	j' avais	pu
tu	pouvais	tu avais	pu
il	pouvait	il avait	pu
nous	pouvions	n. avions	pu
vous	pouviez	v. aviez	pu
ils	pouvaient	ils avaient	pu

Passé simple		Passé antérieur	
je	*pus	j' eus	pu
tu	pus	tu eus	pu
il	put	il eut	pu
nous	pûmes	n. eûmes	pu
vous	pûtes	v. eûtes	pu
ils	purent	ils eurent	pu

Futur simple		Futur antérieur	
je	pourrai	j' aurai	pu
tu	pourras	tu auras	pu
il	pourra	il aura	pu
nous	pourrons	n. aurons	pu
vous	pourrez	v. aurez	pu
ils	pourront	ils auront	pu

SUBJONCTIF

Présent	Passé	
que je puisse	que j' aie	pu
que tu puisses	que tu aies	pu
qu'il puisse	qu'il ait	pu
que n. puissions	que n. ayons	pu
que v. puissiez	que v. ayez	pu
qu'ils puissent	qu'ils aient	pu

Imparfait	Plus-que-parfait	
que je pusse	que j' eusse	pu
que tu pusses	que tu eusses	pu
qu'il pût	qu'il eût	pu
que n. pussions	que n. eussions	pu
que v. pussiez	que v. eussiez	pu
qu'ils pussent	qu'ils eussent	pu

IMPÉRATIF

pas d'impératif

CONDITIONNEL

Présent		Passé 1re forme		
je	pourrais	j'	aurais	pu
tu	pourrais	tu	aurais	pu
il	pourrait	il	aurait	pu
n.	pourrions	n.	aurions	pu
v.	pourriez	v.	auriez	pu
ils	pourraient	ils	auraient	pu

Passé 2e forme		
j'	eusse	pu
tu	eusses	pu
il	eût	pu
n.	eussions	pu
v.	eussiez	pu
ils	eussent	pu

INFINITIF

Présent	Passé
pouvoir	avoir pu

PARTICIPE

Présent	Passé
pouvant	pu
	ayant pu

Remarques. Le verbe **pouvoir** prend deux **r** au futur et au présent du conditionnel, mais, à la différence de **mourir** et **courir,** on n'en prononce qu'un.
Je puis semble d'un emploi plus distingué que *je peux.* On ne dit pas : *peux-je ?* mais *puis-je ? Il se peut que* se dit pour *il peut se faire que* au sens de *il peut arriver que, il est possible que.* Il se construit alors normalement avec le subjonctif.

INDICATIF

Présent		Passé composé		
je	meus	j'	ai	mû
tu	meus	tu	as	mû
il	meut	il	a	mû
nous	mouvons	n.	avons	mû
vous	mouvez	v.	avez	mû
ils	meuvent	ils	ont	mû

Imparfait		Plus-que-parfait		
je	mouvais	j'	avais	mû
tu	mouvais	tu	avais	mû
il	mouvait	il	avait	mû
nous	mouvions	n.	avions	mû
vous	mouviez	v.	aviez	mû
ils	mouvaient	ils	avaient	mû

Passé simple		Passé antérieur		
je	mus	j'	eus	mû
tu	mus	tu	eus	mû
il	mut	il	eut	mû
nous	mûmes	n.	eûmes	mû
vous	mûtes	v.	eûtes	mû
ils	murent	ils	eurent	mû

Futur simple		Futur antérieur		
je	mouvrai	j'	aurai	mû
tu	mouvras	tu	auras	mû
il	mouvra	il	aura	mû
nous	mouvrons	n.	aurons	mû
vous	mouvrez	v.	aurez	mû
ils	mouvront	ils	auront	mû

SUBJONCTIF

Présent		Passé		
que je	meuve	que j'	aie	mû
que tu	meuves	que tu	aies	mû
qu'il	meuve	qu'il	ait	mû
que n.	mouvions	que n.	ayons	mû
que v.	mouviez	que v.	ayez	mû
qu'ils	meuvent	qu'ils	aient	mû

Imparfait		Plus-que-parfait		
que je	musse	que j'	eusse	mû
que tu	musses	que tu	eusses	mû
qu'il	mût	qu'il	eût	mû
que n.	mussions	que n.	eussions	mû
que v.	mussiez	que v.	eussiez	mû
qu'ils	mussent	qu'ils	eussent	mû

IMPÉRATIF

Présent	Passé	
meus	aie	mû
mouvons	ayons	mû
mouvez	ayez	mû

CONDITIONNEL

Présent		Passé 1re forme		
je	mouvrais	j'	aurais	mû
tu	mouvrais	tu	aurais	mû
il	mouvrait	il	aurait	mû
n.	mouvrions	n.	aurions	mû
v.	mouvriez	v.	auriez	mû
ils	mouvraient	ils	auraient	mû

Passé 2e forme		
j'	eusse	mû
tu	eusses	mû
il	eût	mû
n.	eussions	mû
v.	eussiez	mû
ils	eussent	mû

INFINITIF

Présent	Passé
mouvoir	avoir mû

PARTICIPE

Présent	Passé
mouvant	mû, ue
	ayant mû

Émouvoir se conjugue sur **mouvoir,** mais son participe passé masculin singulier : *ému* ne prend pas d'accent circonflexe.

Promouvoir se conjugue comme **mouvoir,** mais son participe *promu* ne prend pas l'accent circonflexe au masculin singulier. Ce verbe ne s'emploie guère qu'à l'infinitif, au participe passé et aux temps composés. L'acception publicitaire et commerciale favorise depuis peu les autres formes.

INDICATIF		SUBJONCTIF	
Présent	*Passé composé*	*Présent*	*Passé*
il pleut	il a plu	qu'il pleuve	qu'il ait plu
Imparfait	*Plus-que-parfait*	*Imparfait*	*Plus-que-parfait*
il pleuvait	il avait plu	qu'il plût	qu'il eût plu
Passé simple	*Passé antérieur*	IMPÉRATIF	
il plut	il eut plu	*pas d'impératif*	
Futur simple	*Futur antérieur*	CONDITIONNEL	
il pleuvra	il aura plu	*Présent*	*Passé 1re forme*
		il pleuvrait	il aurait plu

INFINITIF		PARTICIPE		*Passé 2e forme*
Présent	*Passé*	*Présent*	*Passé*	il eût plu
pleuvoir	avoir plu	pleuvant	plu	
			ayant plu	

Nota. Quoique impersonnel, ce verbe s'emploie au pluriel, mais dans le sens figuré : **Les coups de fusil** *pleuvent*, **les sarcasmes** *pleuvent* **sur lui, les honneurs** *pleuvaient* **sur sa personne.** De même, son participe présent ne s'emploie qu'au sens figuré : *les coups pleuvant sur lui, ...*

INDICATIF		SUBJONCTIF	
Présent	*Passé composé*	*Présent*	*Passé*
il faut	il a fallu	qu'il faille	qu'il ait fallu
Imparfait	*Plus-que-parfait*	*Imparfait*	*Plus-que-parfait*
il fallait	il avait fallu	qu'il fallût	qu'il eût fallu
Passé simple	*Passé antérieur*	**IMPÉRATIF**	
il fallut	il eut fallu	*pas d'impératif*	
Futur simple	*Futur antérieur*	**CONDITIONNEL**	
il faudra	il aura fallu	*Présent*	*Passé 1ʳᵉ forme*
		il faudrait	il aurait fallu

INFINITIF	PARTICIPE	*Passé 2ᵉ forme*
Présent	*Passé*	il eût fallu
falloir	fallu	

Dans les expressions : *il s'en faut de beaucoup, tant s'en faut, peu s'en faut,* la forme **faut** vient, non de **falloir,** mais de **faillir,** au sens de *manquer, faire défaut.*

INDICATIF

Présent		Passé composé	
je	vaux	j' ai	valu
tu	vaux	tu as	valu
il	vaut	il a	valu
nous	valons	n. avons	valu
vous	valez	v. avez	valu
ils	valent	ils ont	valu

Imparfait		Plus-que-parfait	
je	valais	j' avais	valu
tu	valais	tu avais	valu
il	valait	il avait	valu
nous	valions	n. avions	valu
vous	valiez	v. aviez	valu
ils	valaient	ils avaient	valu

Passé simple		Passé antérieur	
je	valus	j' eus	valu
tu	valus	tu eus	valu
il	valut	il eut	valu
nous	valûmes	n. eûmes	valu
vous	valûtes	v. eûtes	valu
ils	valurent	ils eurent	valu

Futur simple		Futur antérieur	
je	vaudrai	j' aurai	valu
tu	vaudras	tu auras	valu
il	vaudra	il aura	valu
nous	vaudrons	n. aurons	valu
vous	vaudrez	v. aurez	valu
ils	vaudront	ils auront	valu

INFINITIF

Présent	Passé
valoir	avoir valu

SUBJONCTIF

Présent		Passé	
que je	vaille	que j' aie	valu
que tu	vailles	que tu aies	valu
qu'il	vaille	qu'il ait	valu
que n.	valions	que n. ayons	valu
que v.	valiez	que v. ayez	valu
qu'ils	vaillent	qu'ils aient	valu

Imparfait		Plus-que-parfait	
que je	valusse	que j' eusse	valu
que tu	valusses	que tu eusses	valu
qu'il	valût	qu'il eût	valu
que n.	valussions	que n. eussions	valu
que v.	valussiez	que v. eussiez	valu
qu'ils	valussent	qu'ils eussent	valu

IMPERATIF

Présent	Passé	
vaux	aie	valu
valons	ayons	valu
valez	ayez	valu

CONDITIONNEL

Présent		Passé 1ʳᵉ forme		
je	vaudrais	j'	aurais	valu
tu	vaudrais	tu	aurais	valu
il	vaudrait	il	aurait	valu
n.	vaudrions	n.	aurions	valu
v.	vaudriez	v.	auriez	valu
ils	vaudraient	ils	auraient	valu

Passé 2ᵉ forme		
j'	eusse	valu
tu	eusses	valu
il	eût	valu
n.	eussions	valu
v.	eussiez	valu
ils	eussent	valu

PARTICIPE

Présent	Passé
valant	valu, ue
	ayant valu

Ainsi se conjuguent **équivaloir, prévaloir, revaloir,** mais au subjonctif présent prévaloir fait : *que je prévale... que nous prévalions... Il ne faut pas que la coutume prévale sur la raison* (Ac.).
A la forme pronominale le participe passé s'accorde : *Elle s'est prévalue de ses droits.*

INDICATIF

Présent		Passé composé	
je	veux	j' ai	voulu
tu	veux	tu as	voulu
il	veut	il a	voulu
nous	voulons	n. avons	voulu
vous	voulez	v. avez	voulu
ils	veulent	ils ont	voulu

Imparfait		Plus-que-parfait	
je	voulais	j' avais	voulu
tu	voulais	tu avais	voulu
il	voulait	il avait	voulu
nous	voulions	n. avions	voulu
vous	vouliez	v. aviez	voulu
ils	voulaient	ils avaient	voulu

Passé simple		Passé antérieur	
je	voulus	j' eus	voulu
tu	voulus	tu eus	voulu
il	voulut	il eut	voulu
nous	voulûmes	n. eûmes	voulu
vous	voulûtes	v. eûtes	voulu
ils	voulurent	ils eurent	voulu

Futur simple		Futur antérieur	
je	voudrai	j' aurai	voulu
tu	voudras	tu auras	voulu
il	voudra	il aura	voulu
nous	voudrons	n. aurons	voulu
vous	voudrez	v. aurez	voulu
ils	voudront	ils auront	voulu

SUBJONCTIF

Présent		Passé	
que je veuille		que j' aie	voulu
que tu veuilles		que tu aies	voulu
qu'il veuille		qu'il ait	voulu
que n. voulions		que n. ayons	voulu
que v. vouliez		que v. ayez	voulu
qu'ils veuillent		qu'ils aient	voulu

Imparfait		Plus-que-parfait	
que je voulusse		que j' eusse	voulu
que tu voulusses		que tu eusses	voulu
qu'il voulût		qu'il eût	voulu
que n. voulussions		que n. eussions	voulu
que v. voulussiez		que v. eussiez	voulu
qu'ils voulussent		qu'ils eussent	voulu

IMPÉRATIF

Présent	Passé	
veux (veuille)	aie	voulu
voulons	ayons	voulu
voulez (veuillez)	ayez	voulu

CONDITIONNEL

Présent		Passé 1re forme	
je	voudrais	j' aurais	voulu
tu	voudrais	tu aurais	voulu
il	voudrait	il aurait	voulu
n.	voudrions	n. aurions	voulu
v.	voudriez	v. auriez	voulu
ils	voudraient	ils auraient	voulu

Passé 2e forme		
j'	eûsse	voulu
tu	eusses	voulu
il	eût	voulu
n.	eussions	voulu
v.	eussiez	voulu
ils	eussent	voulu

INFINITIF

Présent	Passé
vouloir	avoir voulu

PARTICIPE

Présent	Passé
voulant	voulu, ue
	ayant voulu

L'impératif *veux, voulons, voulez,* n'est d'usage que dans certaines occasions très rares où l'on engage à s'armer d'une ferme volonté : *Veux donc, malheureux, et tu seras sauvé.* Mais pour inviter poliment, on dit *veuille, veuillez,* au sens de : *aie, ayez la bonté de : Veuillez agréer mes respectueuses salutations.* Au subjonctif présent les formes primitives : *que nous voulions, que vous vouliez,* reprennent le pas sur : *que nous veuillions, que vous veuilliez* senties comme anciennes et recherchées.

Avec le pronom adverbial **en** qui donne à ce verbe le sens de : *avoir du ressentiment,* on trouve couramment : *ne m'en veux pas, ne m'en voulez pas,* alors que la langue littéraire préfère *ne m'en veuille pas, ne m'en veuillez pas.*

INDICATIF

Présent		*Futur simple*	
j'	assieds	j'	assiérai
tu	assieds	tu	assiéras
il	assied	il	assiéra
nous	asseyons	n.	assiérons
vous	asseyez	v.	assiérez
ils	asseyent	ils	assiéront

ou		*ou*	
j'	ass ois	j'	ass oirai
tu	ass ois	tu	ass oiras
il	ass oit	il	ass oira
nous	ass oyons	n.	ass oirons
vous	ass oyez	v.	ass oirez
ils	ass oient	ils	ass oiront

Imparfait		*Passé composé*		
j'	asseyais	j'	ai	assis
tu	asseyais	tu	as	assis
il	asseyait	il	a	a ssis
nous	asseyions	n.	avons	assis
vous	asseyiez	v.	avez	assis
ils	asseyaient	ils	ont	assis

ou		*Plus-que-parfait*		
j'	ass oyais	j'	avais	assis
tu	ass oyais	tu	avais	assis
il	ass oyait	il	avait	assis
nous	ass oyions	n.	avions	assis
vous	ass oyiez	v.	aviez	assis
ils	ass oyaient	ils	avaient	assis

Passé simple		*Passé antérieur*		
j'	ass is	j'	eus	assis
tu	ass is	tu	eus	assis
il	ass it	il	eut	assis
nous	ass îmes	n.	eûmes	assis
vous	ass îtes	v.	eûtes	assis
ils	ass irent	ils	eurent	assis

		Futur antérieur		
		j'	aurai	assis
		tu	auras	assis
		il	aura	assis
		n.	aurons	assis
		v.	aurez	assis
		ils	auront	assis

SUBJONCTIF

Présent		*Passé*		
que j'	asseye	que j'	aie	assis
que tu	asseyes	que tu	aies	assis
qu'il	asseye	qu'il	ait	assis
que n.	asseyions	que n.	ayons	assis
que v.	asseyiez	que v.	ayez	assis
qu'ils	asseyent	qu'ils	aient	assis

ou	
que j'	ass oie
que tu	ass oies
qu'il	ass oie
que n.	ass oyions
que v.	ass oyiez
qu'ils	ass oient

Imparfait		*Plus-que-parfait*		
que j'	ass isse	que j'	eusse	assis
que tu	ass isses	que tu	eusses	assis
qu'il	ass ît	qu'il	eût	assis
que n.	ass issions	que n.	eussions assis	
que v.	ass issiez	que v.	eussiez	assis
qu'ils	ass issent	qu'ils	eussent	assis

IMPÉRATIF

Présent	*ou*	*Passé*	
assieds	ass ois	aie	assis
asseyons	ass oyons	ayons	assis
asseyez	ass oyez	ayez	assis

CONDITIONNEL

Présent		*Passé 1re forme*		
j'	assiérais	j'	aurais	assis
tu	assiérais	tu	aurais	assis
il	assiérait	il	aurait	assis
n	assiérions	n.	aurions	assis
v	assiériez	v.	auriez	assis
ils	assiéraient	ils	auraient	assis

ou		*Passé 2e forme*		
j'	ass oirais	j'	eusse	assis
tu	ass oirais	tu	eusses	assis
il	ass oirait	il	eût	assis
n.	ass oirions	n.	eussions assis	
v.	ass oiriez	v.	eussiez	assis
ils	ass oiraient	ils	eussent	assis

INFINITIF			PARTICIPE		
Présent	*Passé*		*Présent*	*Passé*	
ass eoir	avoir assis		ass eyant ou ass oyant	assis, ise	ayant assis

Ce verbe se conjugue surtout à la forme pronominale : **s'asseoir**; l'infinitif *asseoir* s'orthographie avec un **e** étymologique, à la différence de l'indicatif présent : *j'assois* et futur : *j'assoirai.* Les formes en **ie** et en **ey** sont préférables aux formes en **oi** moins distinguées. Le futur et le conditionnel : *j'asseyerai..., j'asseyerais...,* sont actuellement sortis de l'usage.

VERBE **SEOIR** : CONVENIR

INDICATIF			SUBJONCTIF
Présent	*Imparfait*	*Futur*	*Présent*
il sied	il seyait	il siéra	qu'il siée
ils siéent	ils seyaient	ils siéront	qu'ils siéent

CONDITIONNEL	INFINITIF	PARTICIPE
Présent	*Présent*	*Présent*
il siérait	seoir	séant (seyant)
ils siéraient		

Remarque : Ce verbe n'a pas de temps composés.

Le verbe **SEOIR** dans le sens d'**être assis, prendre séance,** n'existe qu'aux formes suivantes :
PARTICIPE présent : *séant* (employé parfois comme nom : cf. *« sur son séant »*).
PARTICIPE passé : *sis, sise* qui ne s'emploie plus guère qu'adjectivement en style de barreau au lieu de *situé, située : Hôtel sis à Paris.*

VERBE **MESSEOIR** : N'ÊTRE PAS CONVENABLE

INDICATIF			SUBJONCTIF
Présent	*Imparfait*	*Futur*	*Présent*
il messied	il messeyait	il messiéra	qu'il messiée
ils messiéent	ils messeyaient	ils messiéront	qu'ils messiéent

CONDITIONNEL	INFINITIF	PARTICIPE
Présent	*Présent*	*Présent*
il messiérait	messeoir	messéant
ils messiéraient		

Remarque : Ce verbe n'a pas de temps composés.

INDICATIF

Présent

je	sursois
tu	sursois
il	sursoit
nous	sursoyons
vous	sursoyez
ils	sursoient

Passé composé

j'	ai	sursis
tu	as	sursis
il	a	sursis
n.	avons	sursis
v.	avez	sursis
ils	ont	sursis

Imparfait

je	sursoyais
tu	sursoyais
il	sursoyait
nous	sursoyions
vous	sursoyiez
ils	sursoyaient

Plus-que-parfait

j'	avais	sursis
tu	avais	sursis
il	avait	sursis
n.	avions	sursis
v.	aviez	sursis
ils	avaient	sursis

Passé simple

je	sursis
tu	sursis
il	sursit
nous	sursîmes
vous	sursîtes
ils	sursirent

Passé antérieur

j'	eus	sursis
tu	eus	sursis
il	eut	sursis
n.	eûmes	sursis
v.	eûtes	sursis
ils	eurent	sursis

Futur simple

je	surseoirai
tu	surseoiras
il	surseoira
nous	surseoirons
vous	surseoirez
ils	surseoiront

Futur antérieur

j'	aurai	sursis
tu	auras	sursis
il	aura	sursis
n.	aurons	sursis
v.	aurez	sursis
ils	auront	sursis

SUBJONCTIF

Présent

que je	sursoie
que tu	sursoies
qu'il	sursoie
que n.	sursoyions
que v.	sursoyiez
qu'ils	sursoient

Passé

que j'	aie	sursis
que tu	aies	sursis
qu'il	ait	sursis
que n.	ayons	sursis
que v.	ayez	sursis
qu'ils	aient	sursis

Imparfait

que je	sursisse
que tu	sursisses
qu'il	sursît
que n.	sursissions
que v.	sursissiez
qu'ils	sursissent

Plus-que-parfait

que j'	eusse	sursis
que tu	eusses	sursis
qu'il	eût	sursis
que n.	eussions	sursis
que v.	eussiez	sursis
qu'ils	eussent	sursis

IMPÉRATIF

Présent

sursois
sursoyons
sursoyez

Passé

aie	sursis
ayons	sursis
ayez	sursis

CONDITIONNEL

Présent

je	surseoirais
tu	surseoirais
il	surseoirait
n.	surseoirions
v.	surseoiriez
ils	surseoiraient

Passé 1re forme

j'	aurais	sursis
tu	aurais	sursis
il	aurait	sursis
n.	aurions	sursis
v.	auriez	sursis
ils	auraient	sursis

Passé 2e forme

j'	eusse	sursis
tu	eusses	sursis
il	eût	sursis
n.	eussions	sursis
v.	eussiez	sursis
ils	eussent	sursis

INFINITIF

Présent

surseoir

Passé

avoir sursis

PARTICIPE

Présent

sursoyant

Passé

sursis, ise
ayant sursis

Surseoir a généralisé les formes en **oi** du verbe **asseoir,** avec cette particularité que l'**e** de l'infinitif se retrouve au futur et au conditionnel : *je surseoirai, je surseoirais.*

INDICATIF

Présent	*Passé simple*	*Futur simple*
je chois	je chus	je choirai, etc.
tu chois	il chut, etc.	*je cherrai*
il choit		
ils choient		

SUBJONCTIF

Imparfait

qu'il chût

CONDITIONNEL

Présent

je choirais, etc.
je cherrais

INFINITIF

Présent

choir

PARTICIPE

Passé

chu, chue

VERBE **ÉCHOIR** (temps simples)

INDICATIF

Présent	*Passé simple*	*Futur simple*
il échoit	il échut	il échoira
il échet	ils échurent	*il écherra*
ils échoient		ils échoiront
ils échéent		*ils écherront*

SUBJONCTIF

Présent : qu'il échoie
Imparfait : qu'il échût

CONDITIONNEL

Présent

il échoirait
il écherrait
ils échoiraient
ils écherraient

INFINITIF

Présent

échoir

PARTICIPE

Présent : échéant
Passé : échu, échue

VERBE **DÉCHOIR** (temps simples)

INDICATIF

Présent	*Passé simple*	*Futur simple*
je déchois	je déchus	je déchoirai, etc.
tu déchois	tu déchus	*je décherrai*
il déchoit	il déchut	
il déchet	nous déchûmes	
nous déchoyons	vous déchûtes	
vous déchoyez	ils déchurent	
ils déchoient		

SUBJONCTIF

Présent

que je déchoie
que n. déchoyions, etc.

Imparfait

que je déchusse, etc.

CONDITIONNEL

Présent

je déchoirais, etc.
je décherrais

INFINITIF

Présent

déchoir

PARTICIPE

Passé

déchu, déchue

Les formes en italique sont tout à fait désuètes.
Aux temps composés, **choir** et **échoir** prennent l'auxiliaire **être** : *il est chu. il est échu*. **Déchoir** utilise tantôt **être**, tantôt **avoir** selon que l'on veut insister sur l'action ou sur son résultat : *Il **a** déchu rapidement ; il **est** définitivement déchu.*

53 VERBES EN -DRE : RENDRE
VERBES EN -ANDRE, -ENDRE, -ONDRE, -ERDRE, -ORDRE[1]

INDICATIF

Présent		Passé composé	
je	ren ds	j' ai	rendu
tu	ren ds	tu as	rendu
il	ren d	il a	rendu
nous	ren dons	n. avons	rendu
vous	ren dez	v. avez	rendu
ils	ren dent	ils ont	rendu

Imparfait		Plus-que-parfait	
je	ren dais	j' avais	rendu
tu	ren dais	tu avais	rendu
il	ren dait	il avait	rendu
nous	ren dions	n. avions	rendu
vous	ren diez	v. aviez	rendu
ils	ren daient	ils avaient	rendu

Passé simple		Passé antérieur	
je	ren dis	j' eus	rendu
tu	ren dis	tu eus	rendu
il	ren dit	il eut	rendu
nous	ren dîmes	n. eûmes	rendu
vous	ren dîtes	v. eûtes	rendu
ils	ren dirent	ils eurent	rendu

Futur simple		Futur antérieur	
je	ren drai	j' aurai	rendu
tu	ren dras	tu auras	rendu
il	ren dra	il aura	rendu
nous	ren drons	n. aurons	rendu
vous	ren drez	v. aurez	rendu
ils	ren dront	ils auront	rendu

INFINITIF

Présent	Passé
ren dre	avoir rendu

SUBJONCTIF

Présent		Passé	
que je	ren de	que j' aie	rendu
que tu	ren des	que tu aies	rendu
qu'il	ren de	qu'il ait	rendu
que n.	ren dions	que n. ayons	rendu
que v.	ren diez	que v. ayez	rendu
qu'ils	ren dent	qu'ils aient	rendu

Imparfait		Plus-que-parfait	
que je	ren disse	que j' eusse	rendu
que tu	ren disses	que tu eusses	rendu
qu'il	ren dît	qu'il eût	rendu
que n.	ren dissions	que n. eussions	rendu
que v.	ren dissiez	que v. eussiez	rendu
qu'ils	ren dissent	qu'ils eussent	rendu

IMPÉRATIF

Présent	Passé	
ren ds	aie	rendu
ren dons	ayons	rendu
ren dez	ayez	rendu

CONDITIONNEL

Présent		Passé 1re forme	
je	ren drais	j'	aurais	rendu
tu	ren drais	tu	aurais	rendu
il	ren drait	il	aurait	rendu
n.	ren drions	n.	aurions	rendu
v.	ren driez	v.	auriez	rendu
ils	ren draient	ils	auraient	rendu

Passé 2e forme		
j'	eusse	rendu
tu	eusses	rendu
il	eût	rendu
n.	eussions	rendu
v.	eussiez	rendu
ils	eussent	rendu

PARTICIPE

Présent	Passé
ren dant	ren du, ue
	ayant rendu

1. Voir page 98 la liste des nombreux verbes en **-dre** qui se conjuguent comme **rendre** (sauf **prendre** et ses composés : voir tableau 54). Ainsi se conjuguent en outre les verbes **rompre, corrompre** et **interrompre** dont la seule particularité est de prendre un **t** à la suite du **p** à la 3e personne du singulier de l'indicatif présent : *il rompt.*

Sur le même modèle, sauf pour la 1re et la 2e personne du singulier du présent de l'indicatif et pour l'impératif singulier (**je me fous, fous),** et en remplaçant ailleurs le **d** par un **t,** les verbes **foutre** et **contrefoutre** qui n'ont ni passé simple, ni passé antérieur à l'indicatif, ni imparfait ni plus-que-parfait au subjonctif.

INDICATIF

Présent

je	pr ends
tu	pr ends
il	pr end
nous	pr enons
vous	pr enez
ils	pr ennent

Passé composé

j'	ai	pris
tu	as	pris
il	a	pris
n.	avons	pris
v.	avez	pris
ils	ont	pris

Imparfait

je	pr enais
tu	pr enais
il	pr enait
nous	pr enions
vous	pr eniez
ils	pr enaient

Plus-que-parfait

j'	avais	pris
tu	avais	pris
il	avait	pris
n.	avions	pris
v.	aviez	pris
ils	avaient	pris

Passé simple

je	pr is
tu	pr is
il	pr it
nous	pr îmes
vous	pr îtes
ils	pr irent

Passé antérieur

j'	eus	pris
tu	eus	pris
il	eut	pris
n.	eûmes	pris
v.	eûtes	pris
ils	eurent	pris

Futur simple

je	pr endrai
tu	pr endras
il	pr endra
nous	pr endrons
vous	pr endrez
ils	pr endront

Futur antérieur

j'	aurai	pris
tu	auras	pris
il	aura	pris
n.	aurons	pris
v.	aurez	pris
ils	auront	pris

SUBJONCTIF

Présent

que je	pr enne
que tu	pr ennes
qu'il	pr enne
que n.	pr enions
que v.	pr eniez
qu'ils	pr ennent

Passé

que j'	aie	pris
que tu	aies	pris
qu'il	ait	pris
que n.	ayons	pris
que v.	ayez	pris
qu'ils	aient	pris

Imparfait

que je	pr isse
que tu	pr isses
qu'il	pr ît
que n.	pr issions
que v.	pr issiez
qu'ils	pr issent

Plus-que-parfait

que j'	eusse	pris
que tu	eusses	pris
qu'il	eût	pris
que n.	eussions	pris
que v.	eussiez	pris
qu'ils	eussent	pris

IMPÉRATIF

Présent

pr ends
pr enons
pr enez

Passé

aie pris
ayons pris
ayez pris

CONDITIONNEL

Présent

je	pr endrais
tu	pr endrais
il	pr endrait
n.	pr endrions
v.	pr endriez
ils	pr endraient

Passé 1re forme

j'	aurais	pris
tu	aurais	pris
il	aurait	pris
n.	aurions	pris
v.	auriez	pris
ils	auraient	pris

Passé 2e forme

j'	eusse	pris
tu	eusses	pris
il	eût	pris
n.	eussions	pris
v.	eussiez	pris
ils	eussent	pris

INFINITIF

Présent

pr endre

Passé

avoir pris

PARTICIPE

Présent

pr enant

Passé

pr is, pr ise
ayant pris

Ainsi se conjuguent les composés de **prendre** (page 98).

INDICATIF

Présent

je	bats
tu	bats
il	bat
nous	battons
vous	battez
ils	battent

Passé composé

j'	ai	battu
tu	as	battu
il	a	battu
n.	avons	battu
v.	avez	battu
ils	ont	battu

Imparfait

je	battais
tu	battais
il	battait
nous	battions
vous	battiez
ils	battaient

Plus-que-parfait

j'	avais	battu
tu	avais	battu
il	avait	battu
n.	avions	battu
v.	aviez	battu
ils	avaient	battu

Passé simple

je	battis
tu	battis
il	battit
nous	battîmes
vous	battîtes
ils	battirent

Passé antérieur

j'	eus	battu
tu	eus	battu
il	eut	battu
n.	eûmes	battu
v.	eûtes	battu
ils	eurent	battu

Futur simple

je	battrai
tu	battras
il	battra
nous	battrons
vous	battrez
ils	battront

Futur antérieur

j'	aurai	battu
tu	auras	battu
il	aura	battu
n.	aurons	battu
v.	aurez	battu
ils	auront	battu

SUBJONCTIF

Présent

que je	batte
que tu	battes
qu'il	batte
que n.	battions
que v.	battiez
qu'ils	battent

Passé

que j'	aie	battu
que tu	aies	battu
qu'il	ait	battu
que n.	ayons	battu
que v.	ayez	battu
qu'ils	aient	battu

Imparfait

que je	battisse
que tu	battisses
qu'il	battît
que n.	battissions
que v.	battissiez
qu'ils	battissent

Plus-que-parfait

que j'	eusse	battu
que tu	eusses	battu
qu'il	eût	battu
que n.	eussions	battu
que v.	eussiez	battu
qu'ils	eussent	battu

IMPÉRATIF

Présent

| bats |
| battons |
| battez |

Passé

aie	battu
ayons	battu
ayez	battu

CONDITIONNEL

Présent

je	battrais
tu	battrais
il	battrait
n.	battrions
v.	battriez
ils	battraient

Passé 1re forme

j'	aurais	battu
tu	aurais	battu
il	aurait	battu
n.	aurions	battu
v.	auriez	battu
ils	auraient	battu

Passé 2e forme

j'	eusse	battu
tu	eusses	battu
il	eût	battu
n.	eussions	battu
v.	eussiez	battu
ils	eussent	battu

INFINITIF

Présent	Passé
battre	avoir battu

PARTICIPE

Présent	Passé
battant	battu, ue
	ayant battu

Ainsi se conjuguent les composés de **battre** (page 99).

INDICATIF

Présent

je	mets
tu	mets
il	met
nous	mettons
vous	mettez
ils	mettent

Passé composé

j'	ai	mis
tu	as	mis
il	a	mis
n.	avons	mis
v.	avez	mis
ils	ont	mis

Imparfait

je	mettais
tu	mettais
il	mettait
nous	mettions
vous	mettiez
ils	mettaient

Plus-que-parfait

j'	avais	mis
tu	avais	mis
il	avait	mis
n.	avions	mis
v.	aviez	mis
ils	avaient	mis

Passé simple

je	mis
tu	mis
il	mit
nous	mîmes
vous	mîtes
ils	mirent

Passé antérieur

j'	eus	mis
tu	eus	mis
il	eut	mis
n.	eûmes	mis
v.	eûtes	mis
ils	eurent	mis

Futur simple

je	mettrai
tu	mettras
il	mettra
nous	mettrons
vous	mettrez
ils	mettront

Futur antérieur

j'	aurai	mis
tu	auras	mis
il	aura	mis
n.	aurons	mis
v.	aurez	mis
ils	auront	mis

SUBJONCTIF

Présent

que je	mette
que tu	mettes
qu'il	mette
que n.	mettions
que v.	mettiez
qu'ils	mettent

Passé

que j'	aie	mis
que tu	aies	mis
qu'il	ait	mis
que n.	ayons	mis
que v.	ayez	mis
qu'ils	aient	mis

Imparfait

que je	misse
que tu	misses
qu'il	mît
que n.	missions
que v.	missiez
qu'ils	missent

Plus-que-parfait

que j'	eusse	mis
que tu	eusses	mis
qu'il	eût	mis
que n.	eussions	mis
que v.	eussiez	mis
qu'ils	eussent	mis

IMPÉRATIF

Présent

mets
mettons
mettez

Passé

aie mis
ayons mis
ayez mis

CONDITIONNEL

Présent

je	mettrais
tu	mettrais
il	mettrait
n.	mettrions
v.	mettriez
ils	mettraient

Passé 1ʳᵉ forme

j'	aurais	mis
tu	aurais	mis
il	aurait	mis
n.	aurions	mis
v.	auriez	mis
ils	auraient	mis

Passé 2ᵉ forme

j'	eusse	mis
tu	eusses	mis
il	eût	mis
n.	eussions	mis
v.	eussiez	mis
ils	eussent	mis

INFINITIF

Présent

mettre

Passé

avoir mis

PARTICIPE

Présent

mettant

Passé

mis, ise
ayant mis

Ainsi se conjuguent les composés de **mettre** (page 99).

57 VERBES EN -EINDRE : PEINDRE

INDICATIF

Présent

je	p eins
tu	p eins
il	p eint
nous	p eignons
vous	p eignez
ils	p eignent

Passé composé

j'	ai	peint
tu	as	peint
il	a	peint
n.	avons	peint
v.	avez	peint
ils	ont	peint

Imparfait

je	p eignais
tu	p eignais
il	p eignait
nous	p eignions
vous	p eigniez
ils	p eignaient

Plus-que-parfait

j'	avais	peint
tu	avais	peint
il	avait	peint
n.	avions	peint
v.	aviez	peint
ils	avaient	peint

Passé simple

je	p eignis
tu	p eignis
il	p eignit
nous	p eignîmes
vous	p eignîtes
ils	p eignirent

Passé antérieur

j'	eus	peint
tu	eus	peint
il	eut	peint
n.	eûmes	peint
v.	eûtes	peint
ils	eurent	peint

Futur simple

je	p eindrai
tu	p eindras
il	p eindra
nous	p eindrons
vous	p eindrez
ils	p eindront

Futur antérieur

j'	aurai	peint
tu	auras	peint
il	aura	peint
n.	aurons	peint
v.	aurez	peint
ils	auront	peint

SUBJONCTIF

Présent

que je	p eigne
que tu	p eignes
qu'il	p eigne
que n.	p eignions
que v.	p eigniez
qu'ils	p eignent

Passé

que j'	aie	peint
que tu	aies	peint
qu'il	ait	peint
que n.	ayons	peint
que v.	ayez	peint
qu'ils	aient	peint

Imparfait

que je	p eignisse
que tu	p eignisses
qu'il	p eignît
que n.	p eignissions
que v.	p eignissiez
qu'ils	p eignissent

Plus-que-parfait

que j'	eusse	peint
que tu	eusses	peint
qu'il	eût	peint
que n.	eussions	peint
que v.	eussiez	peint
qu'ils	eussent	peint

IMPÉRATIF

Présent

p eins
p eignons
p eignez

Passé

aie	peint
ayons	peint
ayez	peint

CONDITIONNEL

Présent

je	p eindrais
tu	p eindrais
il	p eindrait
n.	p eindrions
v.	p eindriez
ils	p eindraient

Passé 1re forme

j'	aurais	peint
tu	aurais	peint
il	aurait	peint
n.	aurions	peint
v.	auriez	peint
ils	auraient	peint

Passé 2e forme

j'	eusse	peint
tu	eusses	peint
il	eût	peint
n.	eussions	peint
v.	eussiez	peint
ils	eussent	peint

INFINITIF

Présent

p eindre

Passé

avoir peint

PARTICIPE

Présent

p eignant

Passé

p eint, einte
ayant peint

Ainsi se conjuguent **astreindre, atteindre, ceindre, feindre, enfreindre, empreindre, geindre, teindre** et leurs composés (page 99).

INDICATIF

	Présent		Passé composé	
je	j oins	j'	ai	joint
tu	j oins	tu	as	joint
il	j oint	il	a	joint
nous	j oignons	n.	avons	joint
vous	j oignez	v.	avez	joint
ils	j oignent	ils	ont	joint

	Imparfait		Plus-que-parfait	
je	j oignais	j'	avais	joint
tu	j oignais	tu	avais	joint
il	j oignait	il	avait	joint
nous	j oignions	n.	avions	joint
vous	j oigniez	v.	aviez	joint
ils	j oignaient	ils	avaient	joint

	Passé simple		Passé antérieur	
je	j oignis	j'	eus	joint
tu	j oignis	tu	eus	joint
il	j oignit	il	eut	joint
nous	j oignîmes	n.	eûmes	joint
vous	j oignîtes	v.	eûtes	joint
ils	j oignirent	ils	eurent	joint

	Futur simple		Futur antérieur	
je	j oindrai	j'	aurai	joint
tu	j oindras	tu	auras	joint
il	j oindra	il	aura	joint
nous	j oindrons	n.	aurons	joint
vous	j oindrez	v.	aurez	joint
ils	j oindront	ils	auront	joint

SUBJONCTIF

	Présent		Passé	
que je	j oigne	que j'	aie	joint
que tu	j oignes	que tu	aies	joint
qu'il	j oigne	qu'il	ait	joint
que n.	j oignions	que n.	ayons	joint
que v.	j oigniez	que v.	ayez	joint
qu'ils	j oignent	qu'ils	aient	joint

	Imparfait		Plus-que-parfait	
que je	j oignisse	que j'	eusse	joint
que tu	j oignisses	que tu	eusses	joint
qu'il	j oignît	qu'il	eût	joint
que n.	j oignissions	que n.	eussions	joint
que v.	j oignissiez	que v.	eussiez	joint
qu'ils	j oignissent	qu'ils	eussent	joint

IMPÉRATIF

Présent	Passé	
j oins	aie	joint
j oignons	ayons	joint
j oignez	ayez	joint

CONDITIONNEL

	Présent		Passé 1ʳᵉ forme	
je	j oindrais	j'	aurais	joint
tu	j oindrais	tu	aurais	joint
il	j oindrait	il	aurait	joint
n.	j oindrions	n.	aurions	joint
v.	j oindriez	v.	auriez	joint
ils	j oindraient	ils	auraient	joint

	Passé 2ᵉ forme	
j'	eusse	joint
tu	eusses	joint
il	eût	joint
n.	eussions	joint
v.	eussiez	joint
ils	eussent	joint

INFINITIF

Présent	Passé
j oindre	avoir joint

PARTICIPE

Présent	Passé
j oignant	j oint, te
	ayant joint

Ainsi se conjuguent les composés de **joindre** (page 99) et les verbes archaïques **poindre** et **oindre**. Au sens intransitif de **commencer à paraître,** poindre ne s'emploie qu'aux formes suivantes : *il point, il poindra, il poindrait, il a point : Quand l'aube poindra...;* on a tendance à lui substituer le verbe régulier **pointer**. Au sens transitif de *piquer : Poignez vilain, il vous oindra,* ce verbe est sorti de l'usage en cédant la place parfois à un néologisme insoutenable **poigner** fabriqué à partir de formes régulières de **poindre : il poignait, poignant.** Ce participe présent s'est d'ailleurs maintenu comme adjectif en se chargeant du sens d'*étreindre* (comme par une *poigne?*). Oindre est sorti de l'usage sauf à l'infinitif et au participe passé *oint, te.*

INDICATIF

Présent		Passé composé	
je	cr ains	j' ai	craint
tu	cr ains	tu as	craint
il	cr aint	il a	craint
nous	cr aignons	n. avons	craint
vous	cr aignez	v. avez	craint
ils	cr aignent	ils ont	craint

Imparfait		Plus-que-parfait	
je	cr aignais	j' avais	craint
tu	cr aignais	tu avais	craint
il	cr aignait	il avait	craint
nous	cr aignions	n. avions	craint
vous	cr aigniez	v. aviez	craint
ils	cr aignaient	ils avaient	craint

Passé simple		Passé antérieur	
je	cr aignis	j' eus	craint
tu	cr aignis	tu eus	craint
il	cr aignit	il eut	craint
nous	cr aignîmes	n. eûmes	craint
vous	cr aignîtes	v. eûtes	craint
ils	cr aignirent	ils eurent	craint

Futur simple		Futur antérieur	
je	cr aindrai	j' aurai	craint
tu	cr aindras	tu auras	craint
il	cr aindra	il aura	craint
nous	cr aindrons	n. aurons	craint
vous	cr aindrez	v. aurez	craint
ils	cr aindront	ils auront	craint

SUBJONCTIF

Présent		Passé	
que je cr aigne		que j' aie	craint
que tu cr aignes		que tu aies	craint
qu'il cr aigne		qu'il ait	craint
que n. cr aignions		que n. ayons	craint
que v. cr aigniez		que v. ayez	craint
qu'ils cr aignent		qu'ils aient	craint

Imparfait		Plus-que-parfait	
que je cr aignisse		que j' eusse	craint
que tu cr aignisses		que tu eusses	craint
qu'il cr aignît		qu'il eût	craint
que n. cr aignissions		que n. eussions	craint
que v. cr aignissiez		que v. eussiez	craint
qu'ils cr aignissent		qu'ils eussent	craint

IMPÉRATIF

Présent	Passé	
cr ains	aie	craint
cr aignons	ayons	craint
cr aignez	ayez	craint

CONDITIONNEL

Présent		Passé 1re forme	
je	cr aindrais	j' aurais	craint
tu	cr aindrais	tu aurais	craint
il	cr aindrait	il aurait	craint
n.	cr aindrions	n. aurions	craint
v.	cr aindriez	v. auriez	craint
ils	cr aindraient	ils auraient	craint

Passé 2e forme		
j'	eusse	craint
tu	eusses	craint
il	eût	craint
n.	eussions	craint
v.	eussiez	craint
ils	eussent	craint

INFINITIF

Présent	Passé
cr aindre	avoir craint

PARTICIPE

Présent	Passé
cr aignant	cr aint, ainte
	ayant craint

Ainsi se conjuguent **contraindre** et **plaindre**.

INDICATIF

Présent

je	vaincs
tu	vaincs
il	vainc
nous	vainquons
vous	vainquez
ils	vainquent

Passé composé

j'	ai	vaincu
tu	as	vaincu
il	a	vaincu
n.	avons	vaincu
v.	avez	vaincu
ils	ont	vaincu

Imparfait

je	vainquais
tu	vainquais
il	vainquait
nous	vainquions
vous	vainquiez
ils	vainquaient

Plus-que-parfait

j'	avais	vaincu
tu	avais	vaincu
il	avait	vaincu
n.	avions	vaincu
v.	aviez	vaincu
ils	avaient	vaincu

Passé simple

je	vainquis
tu	vainquis
il	vainquit
nous	vainquîmes
vous	vainquîtes
ils	vainquirent

Passé antérieur

j'	eus	vaincu
tu	eus	vaincu
il	eut	vaincu
n.	eûmes	vaincu
v.	eûtes	vaincu
ils	eurent	vaincu

Futur simple

je	vaincrai
tu	vaincras
il	vaincra
nous	vaincrons
vous	vaincrez
ils	vaincront

Futur antérieur

j'	aurai	vaincu
tu	auras	vaincu
il	aura	vaincu
n.	aurons	vaincu
v.	aurez	vaincu
ils	auront	vaincu

SUBJONCTIF

Présent

que je	vainque
que tu	vainques
qu'il	vainque
que n.	vainquions
que v.	vainquiez
qu'ils	vainquent

Passé

que j'	aie	vaincu
que tu	aies	vaincu
qu'il	ait	vaincu
que n.	ayons	vaincu
que v.	ayez	vaincu
qu'ils	aient	vaincu

Imparfait

que je	vainquisse
que tu	vainquisses
qu'il	vainquît
que n.	vainquissions
que v.	vainquissiez
qu'ils	vainquissent

Plus-que-parfait

que j'	eusse	vaincu
que tu	eusses	vaincu
qu'il	eût	vaincu
que n.	eussions	vaincu
que v.	eussiez	vaincu
qu'ils	eussent	vaincu

IMPÉRATIF

Présent

vaincs
vainquons
vainquez

Passé

aie	vaincu
ayons	vaincu
ayez	vaincu

CONDITIONNEL

Présent

je	vaincrais
tu	vaincrais
il	vaincrait
n.	vaincrions
v.	vaincriez
ils	vaincraient

Passé 1re forme

j'	aurais	vaincu
tu	aurais	vaincu
il	aurait	vaincu
n.	aurions	vaincu
v.	auriez	vaincu
ils	auraient	vaincu

Passé 2e forme

j'	eusse	vaincu
tu	eusses	vaincu
il	eût	vaincu
n.	eussions	vaincu
v.	eussiez	vaincu
ils	eussent	vaincu

INFINITIF

Présent

vaincre

Passé

avoir vaincu

PARTICIPE

Présent

vainquant

Passé

vaincu, ue
ayant vaincu

Seule irrégularité du verbe *vaincre* : il ne prend pas le **t** final à la troisième personne du singulier du présent de l'indicatif : *il vainc*.
D'autre part devant une voyelle (sauf **u**) le **c** se change en **qu** : *nous vainquons*.
Ainsi se conjugue **convaincre**.

INDICATIF

Présent		Passé composé		
je	trais	j'	ai	trait
tu	trais	tu	as	trait
il	trait	il	a	trait
nous	trayons	n.	avons	trait
vous	trayez	v.	avez	trait
ils	traient	ils	ont	trait

Imparfait		Plus-que-parfait		
je	trayais	j'	avais	trait
tu	trayais	tu	avais	trait
il	trayait	il	avait	trait
nous	trayions	n.	avions	trait
vous	trayiez	v.	aviez	trait
ils	trayaient	ils	avaient	trait

Passé simple	Passé antérieur		
	j'	eus	trait
	tu	eus	trait
N'existe pas	il	eut	trait
	n.	eûmes	trait
	v.	eûtes	trait
	ils	eurent	trait

Futur simple		Futur antérieur		
je	trairai	j'	aurai	trait
tu	trairas	tu	auras	trait
il	traira	il	aura	trait
nous	trairons	n.	aurons	trait
vous	trairez	v.	aurez	trait
ils	trairont	ils	auront	trait

SUBJONCTIF

Présent	Passé		
que je traie	que j'	aie	trait
que tu traies	que tu	aies	trait
qu'il traie	qu'il	ait	trait
que n. trayions	que n.	ayons	trait
que v. trayiez	que v.	ayez	trait
qu'ils traient	qu'ils	aient	trait

Imparfait	Plus-que-parfait		
	que j'	eusse	trait
	que tu	eusses	trait
	qu'il	eût	trait
N'existe pas	que n.	eussions	trait
	que v.	eussiez	trait
	qu'ils	eussent	trait

IMPÉRATIF

Présent	Passé	
trais	aie	trait
trayons	ayons	trait
trayez	ayez	trait

CONDITIONNEL

Présent		Passé 1re forme		
je	trairais	j'	aurais	trait
tu	trairais	tu	aurais	trait
il	trairait	il	aurait	trait
n.	trairions	n.	aurions	trait
v.	trairiez	v.	auriez	trait
ils	trairaient	ils	auraient	trait

Passé 2e forme		
j'	eusse	trait
tu	eusses	trait
il	eût	trait
n.	eussions	trait
v.	eussiez	trait
ils	eussent	trait

INFINITIF

Présent	Passé
traire	avoir trait

PARTICIPE

Présent	Passé
trayant	trait, aite
	ayant trait

Ainsi se conjuguent les composés de **traire** (au sens de *tirer*) comme **extraire, distraire,** etc. (voir page 99), de même le verbe braire qui ne s'emploie qu'aux 3es personnes de l'indicatif présent, du futur et du conditionnel.

INDICATIF

Présent		Passé composé	
je	fais	j' ai	fait
tu	fais	tu as	fait
il	fait	il a	fait
nous	faisons	n. avons	fait
vous	faites	v. avez	fait
ils	font	ils ont	fait

Imparfait		Plus-que-parfait	
je	faisais	j' avais	fait
tu	faisais	tu avais	fait
il	faisait	il avait	fait
nous	faisions	n. avions	fait
vous	faisiez	v. aviez	fait
ils	faisaient	ils avaient	fait

Passé simple		Passé antérieur	
je	fis	j' eus	fait
tu	fis	tu eus	fait
il	fit	il eut	fait
nous	fîmes	n. eûmes	fait
vous	fîtes	v. eûtes	fait
ils	firent	ils eurent	fait

Futur simple		Futur antérieur	
je	ferai	j' aurai	fait
tu	feras	tu auras	fait
il	fera	il aura	fait
nous	ferons	n. aurons	fait
vous	ferez	v. aurez	fait
ils	feront	ils auront	fait

SUBJONCTIF

Présent	Passé	
que je fasse	que j' aie	fait
que tu fasses	que tu aies	fait
qu'il fasse	qu'il ait	fait
que n. fassions	que n. ayons	fait
que v. fassiez	que v. ayez	fait
qu'ils fassent	qu'ils aient	fait

Imparfait	Plus-que-parfait	
que je fisse	que j' eusse	fait
que tu fisses	que tu eusses	fait
qu'il fît	qu'il eût	fait
que n. fissions	que n. eussions	fait
que v. fissiez	que v. eussiez	fait
qu'ils fissent	qu'ils eussent	fait

IMPÉRATIF

Présent	Passé	
fais	aie	fait
faisons	ayons	fait
faites	ayez	fait

CONDITIONNEL

Présent		Passé 1re forme	
je	ferais	j' aurais	fait
tu	ferais	tu aurais	fait
il	ferait	il aurait	fait
n.	ferions	n. aurions	fait
v.	feriez	v. auriez	fait
ils	feraient	ils auraient	fait

Passé 2e forme		
j'	eusse	fait
tu	eusses	fait
il	eût	fait
n.	eussions	fait
v.	eussiez	fait
ils	eussent	fait

INFINITIF

Présent	Passé
faire	avoir fait

PARTICIPE

Présent	Passé
faisant	fait, te
	ayant fait

Tout en écrivant **fai** on prononce *nous* fe*sons, je* fe*sais..., * fe*sons,* fe*sant;* en revanche on a aligné sur la prononciation l'orthographe de *je* fe*rai..., je* fe*rais...,* écrits avec un **e**. Noter les 2es personnes du pluriel *vous faites;* impératif : *faites. Vous faisez, faisez* sont de grossiers barbarismes. Ainsi se conjuguent les composés de **faire** (page 99).

63 VERBE **PLAIRE**

INDICATIF

Présent		Passé composé	
je	plais	j' ai	plu
tu	plais	tu as	plu
il	plaît	il a	plu
nous	plaisons	n. avons	plu
vous	plaisez	v. avez	plu
ils	plaisent	ils ont	plu

Imparfait		Plus-que-parfait	
je	plaisais	j' avais	plu
tu	plaisais	tu avais	plu
il	plaisait	il avait	plu
nous	plaisions	n. avions	plu
vous	plaisiez	v. aviez	plu
ils	plaisaient	ils avaient	plu

Passé simple		Passé antérieur	
je	plus	j' eus	plu
tu	plus	tu eus	plu
il	plut	il eut	plu
nous	plûmes	n. eûmes	plu
vous	plûtes	v. eûtes	plu
ils	plurent	ils eurent	plu

Futur simple		Futur antérieur	
je	plairai	j' aurai	plu
tu	plairas	tu auras	plu
il	plaira	il aura	plu
nous	plairons	n. aurons	plu
vous	plairez	v. aurez	plu
ils	plairont	ils auront	plu

SUBJONCTIF

Présent	Passé	
que je plaise	que j' aie	plu
que tu plaises	que tu aies	plu
qu'il plaise	qu'il ait	plu
que n. plaisions	que n. ayons	plu
que v. plaisiez	que v. ayez	plu
qu'ils plaisent	qu'ils aient	plu

Imparfait	Plus-que-parfait	
que je plusse	que j' eusse	plu
que tu plusses	que tu eusses	plu
qu'il plût	qu'il eût	plu
que n. plussions	que n. eussions	plu
que v. plussiez	que v. eussiez	plu
qu'ils plussent	qu'ils eussent	plu

IMPÉRATIF

Présent	Passé	
plais	aie	plu
plaisons	ayons	plu
plaisez	ayez	plu

CONDITIONNEL

Présent		Passé 1re forme	
je	plairais	j' aurais	plu
tu	plairais	tu aurais	plu
il	plairait	il aurait	plu
n.	plairions	n. aurions	plu
v.	plairiez	v. auriez	plu
ils	plairaient	ils auraient	plu

Passé 2e forme		
j'	eusse	plu
tu	eusses	plu
il	eût	plu
n.	eussions	plu
v.	eussiez	plu
ils	eussent	plu

INFINITIF

Présent	Passé
plaire	avoir plu

PARTICIPE

Présent	Passé
plaisant	plu
	ayant plu

Ainsi se conjuguent **complaire** et **déplaire,** de même que taire qui, lui, ne prend pas d'accent circonflexe au présent de l'indicatif : *il tait* et qui a un participe passé variable : *Les plaintes se sont* **tues.**

INDICATIF

Présent		Passé composé		
je	conn ais	j'	ai	connu
tu	conn ais	tu	as	connu
il	conn aît	il	a	connu
nous	conn aissons	n.	avons	connu
vous	conn aissez	v.	avez	connu
ils	conn aissent	ils	ont	connu

Imparfait		Plus-que-parfait		
je	conn aissais	j'	avais	connu
tu	conn aissais	tu	avais	connu
il	conn aissait	il	avait	connu
nous	conn aissions	n.	avions	connu
vous	conn aissiez	v.	aviez	connu
ils	conn aissaient	ils	avaient	connu

Passé simple		Passé antérieur		
je	conn us	j'	eus	connu
tu	conn us	tu	eus	connu
il	conn ut	il	eut	connu
nous	conn ûmes	n.	eûmes	connu
vous	conn ûtes	v.	eûtes	connu
ils	conn urent	ils	eurent	connu

Futur simple		Futur antérieur		
je	conn aîtrai	j'	aurai	connu
tu	conn aîtras	tu	auras	connu
il	conn aîtra	il	aura	connu
nous	conn aîtrons	n.	aurons	connu
vous	conn aîtrez	v.	aurez	connu
ils	conn aîtront	ils	auront	connu

INFINITIF

Présent	Passé
conn aître	avoir connu

SUBJONCTIF

Présent		Passé		
que je	conn aisse	que j'	aie	connu
que tu	conn aisses	que tu	aies	connu
qu'il	conn aisse	qu'il	ait	connu
que n.	conn aissions	que n.	ayons	connu
que v.	conn aissiez	que v.	ayez	connu
qu'ils	conn aissent	qu'ils	aient	connu

Imparfait		Plus-que-parfait		
que je	conn usse	que j'	eusse	connu
que tu	conn usses	que tu	eusses	connu
qu'il	conn ût	qu'il	eût	connu
que n.	conn ussions	que n.	eussions	connu
que v.	conn ussiez	que v.	eussiez	connu
qu'ils	conn ussent	qu'ils	eussent	connu

IMPÉRATIF

Présent	Passé	
conn ais	aie	connu
conn aissons	ayons	connu
conn aissez	ayez	connu

CONDITIONNEL

Présent		Passé 1ʳᵉ forme		
je	conn aîtrais	j'	aurais	connu
tu	conn aîtrais	tu	aurais	connu
il	conn aîtrait	il	aurait	connu
n.	conn aîtrions	n.	aurions	connu
v.	conn aîtriez	v.	auriez	connu
ils	conn aîtraient	ils	auraient	connu

Passé 2ᵉ forme		
j'	eusse	connu
tu	eusses	connu
il	eût	connu
n.	eussions	connu
v.	eussiez	connu
ils	eussent	connu

PARTICIPE

Présent	Passé
conn aissant	conn u, ue
	ayant connu

Ainsi se conjuguent **connaître, paraître** et tous leurs composés (page 99).
Tous les verbes en **-aître** prennent un accent circonflexe sur l'**i** qui précède le **t**, de même que tous les verbes en **-oître**.

INDICATIF

Présent		Passé composé	
je	nais	je suis	né
tu	nais	tu es	né
il	naît	il est	né
nous	naissons	n. sommes	nés
vous	naissez	v. êtes	nés
ils	naissent	ils sont	nés

Imparfait		Plus-que-parfait	
je	naissais	j' étais	né
tu	naissais	tu étais	né
il	naissait	il était	né
nous	naissions	n. étions	nés
vous	naissiez	v. étiez	nés
ils	naissaient	ils étaient	nés

Passé simple		Passé antérieur	
je	naquis	je fus	né
tu	naquis	tu fus	né
il	naquit	il fut	né
nous	naquîmes	n. fûmes	nés
vous	naquîtes	v. fûtes	nés
ils	naquirent	ils furent	nés

Futur simple		Futur antérieur	
je	naîtrai	je serai	né
tu	naîtras	tu seras	né
il	naîtra	il sera	né
nous	naîtrons	n. serons	nés
vous	naîtrez	v. serez	nés
ils	naîtront	ils seront	nés

SUBJONCTIF

Présent		Passé	
que je	naisse	que je sois	né
que tu	naisses	que tu sois	né
qu'il	naisse	qu'il soit	né
que n.	naissions	que n. soyons	nés
que v.	naissiez	que v. soyez	nés
qu'ils	naissent	qu'ils soient	nés

Imparfait		Plus-que-parfait	
que je	naquisse	que je fusse	né
que tu	naquisses	que tu fusses	né
qu'il	naquît	qu'il fût	né
que n.	naquissions	que n. fussions	nés
que v.	naquissiez	que v. fussiez	nés
qu'ils	naquissent	qu'ils fussent	nés

IMPERATIF

Présent	Passé	
nais	sois	né
naissons	soyons	nés
naissez	soyez	nés

CONDITIONNEL

Présent		Passé 1re forme	
je	naîtrais	je serais	né
tu	naîtrais	tu serais	né
il	naîtrait	il serait	né
n.	naîtrions	n. serions	nés
v.	naîtriez	v. seriez	nés
ils	naîtraient	ils seraient	nés

Passé 2e forme		
je	fusse	né
tu	fusses	né
il	fût	né
n.	fussions	nés
v.	fussiez	nés
ils	fussent	nés

INFINITIF

Présent	Passé
naître	être né

PARTICIPE

Présent	Passé
naissant	né, née
	étant né

Le verbe **paître** n'a pas de *temps composés;* il n'est usité qu'aux *temps simples* suivants :

INDICATIF

Présent	Passé simple
je pais	
tu pais	
il paît	*N'existe pas*
nous paissons	
vous paissez	
ils paissent	

Imparfait	Futur simple
je paissais	je paîtrai
tu paissais	tu paîtras
il paissait	il paîtra
nous paissions	n. paîtrons
vous paissiez	v. paîtrez
ils paissaient	ils paîtront

INFINITIF / PARTICIPE

Présent	Présent
paître	paissant

SUBJONCTIF

Présent	Imparfait
que je paisse	
que tu paisses	
qu'il paisse	*N'existe pas*
que n. paissions	
que v. paissiez	
qu'ils paissent	

IMPÉRATIF

pais
paissez

CONDITIONNEL

Présent

je	paîtrais
tu	paîtrais
il	paîtrait
n.	paîtrions
v.	paîtriez
ils	paîtraient

Nota. Le participe passé **pu,** invariable, n'est usité qu'en termes de fauconnerie.

VERBE **REPAÎTRE**

Repaître se conjugue comme **paître,** mais il a de plus les temps suivants :

INDICATIF

Passé simple

je repus, etc.

PARTICIPE

Passé

repu, ue

SUBJONCTIF

Imparfait

que je repusse, etc.

Tous les temps composés

j'ai repu, etc.

j'avais repu, etc.

INDICATIF

Présent		**Passé composé**	
je	croîs	j' ai	crû
tu	croîs	tu as	crû
il	croît	il a	crû
nous	croissons	n. avons	crû
vous	croissez	v. avez	crû
ils	croissent	ils ont	crû

Imparfait		**Passé antérieur**	
je	croissais	j' eus	crû
tu	croissais	tu eus	crû
il	croissait	il eut	crû
nous	croissions	n. eûmes	crû
vous	croissiez	v. eûtes	crû
ils	croissaient	ils eurent	crû

Passé simple		**Plus-que-parfait**	
je	crûs	j' avais	crû
tu	crûs	tu avais	crû
il	crût	il avait	crû
nous	crûmes	n. avions	crû
vous	crûtes	v. aviez	crû
ils	crûrent	ils avaient	crû

Futur simple		**Futur antérieur**	
je	croîtrai	j' aurai	crû
tu	croîtras	tu auras	crû
il	croîtra	il aura	crû
nous	croîtrons	n. aurons	crû
vous	croîtrez	v. aurez	crû
ils	croîtront	ils auront	crû

SUBJONCTIF

Présent	**Passé**	
que je croisse	que j' aie	crû
que tu croisses	que tu aies	crû
qu'il croisse	qu'il ait	crû
que n. croissions	que n. ayons	crû
que v. croissiez	que v. ayez	crû
qu'ils croissent	qu'ils aient	crû

Imparfait	**Plus-que-parfait**	
que je crûsse	que j' eusse	crû
que tu crûsses	que tu eusses	crû
qu'il crût	qu'il eût	crû
que n. crûssions	que n. eussions	crû
que v. crûssiez	que v. eussiez	crû
qu'ils crûssent	qu'ils eussent	crû

IMPÉRATIF

Présent	**Passé**	
croîs	aie	crû
croissons	ayons	crû
croissez	ayez	crû

CONDITIONNEL

Présent		**Passé 1ʳᵉ forme**	
je	croîtrais	j'	aurais	crû
tu	croîtrais	tu	aurais	crû
il	croîtrait	il	aurait	crû
n.	croîtrions	n.	aurions	crû
v.	croîtriez	v.	auriez	crû
ils	croîtraient	ils	auraient	crû

Passé 2ᵉ forme		
j'	eusse	crû
tu	eusses	crû
il	eût	crû
n.	eussions	crû
v.	eussiez	crû
ils	eussent	crû

INFINITIF

Présent	**Passé**
croître	avoir crû

PARTICIPE

Présent	**Passé**
croissant	crû, ue
	ayant crû

Ainsi se conjuguent **accroître décroître, recroître**. S'ils prennent tous un accent circonflexe sur l'**i** suivi d'un **t**, **croître** est le seul qui ait l'accent circonflexe aux formes suivantes : *je croîs, tu croîs, je crûs, tu crûs, il crût, ils crûrent, que je crûsse..., crû,* pour le distinguer des formes correspondantes du verbe **croire**. Noter cependant le participe passé *recrû*.

INDICATIF

Présent		Passé composé		
je	crois	j'	ai	cru
tu	crois	tu	as	cru
il	croit	il	a	cru
nous	croyons	n.	avons	cru
vous	croyez	v.	avez	cru
ils	croient	ils	ont	cru

Imparfait		Plus-que-parfait		
je	croyais	j'	avais	cru
tu	croyais	tu	avais	cru
il	croyait	il	avait	cru
nous	croyions	n.	avions	cru
vous	croyiez	v.	aviez	cru
ils	croyaient	ils	avaient	cru

Passé simple		Passé antérieur		
je	crus	j'	eus	cru
tu	crus	tu	eus	cru
il	crut	il	eut	cru
nous	crûmes	n.	eûmes	cru
vous	crûtes	v.	eûtes	cru
ils	crurent	ils	eurent	cru

Futur simple		Futur antérieur		
je	croirai	j'	aurai	cru
tu	croiras	tu	auras	cru
il	croira	il	aura	cru
nous	croirons	n.	aurons	cru
vous	croirez	v.	aurez	cru
ils	croiront	ils	auront	cru

INFINITIF

Présent	Passé
croire	avoir cru

SUBJONCTIF

Présent	Passé		
que je croie	que j'	aie	cru
que tu croies	que tu	aies	cru
qu'il croie	qu'il	ait	cru
que n. croyions	que n.	ayons	cru
que v. croyiez	que v.	ayez	cru
qu'ils croient	qu'ils	aient	cru

Imparfait	Plus-que-parfait		
que je crusse	que j'	eusse	cru
que tu crusses	que tu	eusses	cru
qu'il crût	qu'il	eût	cru
que n. crussions	que n.	eussions	cru
que v. crussiez	que v.	eussiez	cru
qu'ils crussent	qu'ils	eussent	cru

IMPÉRATIF

Présent	Passé	
crois	aie	cru
croyons	ayons	cru
croyez	ayez	cru

CONDITIONNEL

Présent		Passé 1ʳᵉ forme		
je	croirais	j'	aurais	cru
tu	croirais	tu	aurais	cru
il	croirait	il	aurait	cru
n.	croirions	n.	aurions	cru
v.	croiriez	v.	auriez	cru
ils	croiraient	ils	auraient	cru

Passé 2ᵉ forme		
j'	eusse	cru
tu	eusses	cru
il	eût	cru
n.	eussions	cru
v.	eussiez	cru
ils	eussent	cru

PARTICIPE

Présent	Passé
croyant	cru, ue
	ayant cru

69 VERBE **BOIRE**

INDICATIF

Présent		Passé composé	
je	bois	j' ai	bu
tu	bois	tu as	bu
il	boit	il a	bu
nous	buvons	n. avons	bu
vous	buvez	v. avez	bu
ils	boivent	ils ont	bu

Imparfait		Plus-que-parfait	
je	buvais	j' avais	bu
tu	buvais	tu avais	bu
il	buvait	il ' avait	bu
nous	buvions	n. avions	bu
vous	buviez	v. aviez	bu
ils	buvaient	ils avaient	bu

Passé simple		Passé antérieur	
je	bus	j' eus	bu
tu	bus	tu eus	bu
il	but	il eut	bu
nous	bûmes	n. eûmes	bu
vous	bûtes	v. eûtes	bu
ils	burent	ils eurent	bu

Futur simple		Futur antérieur	
je	boirai	j' aurai	bu
tu	boiras	tu auras	bu
il	boira	il aura	bu
nous	boirons	n. aurons	bu
vous	boirez	v. aurez	bu
ils	boiront	ils auront	bu

SUBJONCTIF

Présent	Passé	
que je boive	que j' aie	bu
que tu boives	que tu aies	bu
qu'il boive	qu'il ait	bu
que n. buvions	que n. ayons	bu
que v. buviez	que v. ayez	bu
qu'ils boivent	qu'ils aient	bu

Imparfait	Plus-que-parfait	
que je busse	que j' eusse	bu
que tu busses	que tu eusses	bu
qu'il bût	qu'il eût	bu
que n. bussions	que n. eussions	bu
que v. bussiez	que v. eussiez	bu
qu'ils bussent	qu'ils eussent	bu

IMPÉRATIF

Présent	Passé	
bois	aie	bu
buvons	ayons	bu
buvez	ayez	bu

CONDITIONNEL

Présent		Passé 1ʳᵉ forme	
je	boirais	j'	aurais bu
tu	boirais	tu	aurais bu
il	boirait	il	aurait bu
n.	boirions	n.	aurions bu
v.	boiriez	v.	auriez bu
ils	boiraient	ils	auraient bu

Passé 2ᵉ forme	
j'	eusse bu
tu	eusses bu
il	eût bu
n.	eussions bu
v.	eussiez bu
ils	eussent bu

INFINITIF

Présent	Passé
boire	avoir bu

PARTICIPE

Présent	Passé
buvant	bu, ue
	ayant bu

INDICATIF

Présent		**Passé composé**	
je	clos	j'	ai	clos
tu	clos	tu	as	clos
il	clôt	il	a	clos
ils	closent	n.	avons	clos
		v.	avez	clos
		ils	ont	clos

Imparfait	**Plus-que-parfait**	
	j'	avais	clos
	tu	avais	clos
N'existe pas	il	avait	clos
	n.	avions	clos
	v.	aviez	clos
	ils	avaient	clos

Passé simple	**Passé antérieur**	
	j'	eus	clos
	tu	eus	clos
N'existe pas	il	eut	clos
	n.	eûmes	clos
	v.	eûtes	clos
	ils	eurent	clos

Futur simple		**Futur antérieur**	
je	clorai	j'	aurai	clos
tu	cloras	tu	auras	clos
il	clora	il	aura	clos
nous	clorons	n.	aurons	clos
vous	clorez	v.	aurez	clos
ils	cloront	ils	auront	clos

INFINITIF

Présent	**Passé**
clore	avoir clos

SUBJONCTIF

Présent	**Passé**	
que je close	que j'	aie	clos
que tu closes	que tu	aies	clos
qu'il close	qu'il	ait	clos
que n. closions	que n.	ayons	clos
que v. closiez	que v.	ayez	clos
qu'ils closent	qu'ils	aient	clos

Imparfait	**Plus-que-parfait**	
	que j'	eusse	clos
	que tu eusses	clos
N'existe pas	qu'il	eût	clos
	que n. eussions	clos
	que v. eussiez	clos
	qu'ils eussent	clos

IMPÉRATIF

Présent	**Passé**	
clos	aie	clos
	ayons	clos
	ayez	clos

CONDITIONNEL

Présent		**Passé 1ʳᵉ forme**	
je	clorais	j'	aurais	clos
tu	clorais	tu	aurais	clos
il	clorait	il	aurait	clos
n.	clorions	n.	aurions	clos
v.	cloriez	v.	auriez	clos
ils	cloraient	ils	auraient	clos

Passé 2ᵉ forme		
j'	eusse	clos
tu	eusses	clos
il	eût	clos
n.	eussions	clos
v.	eussiez	clos
ils	eussent	clos

PARTICIPE

Présent	**Passé**
closant	clos, se
	ayant clos

Éclore ne s'emploie guère qu'à la 3ᵉ personne. L'Académie écrit : *il éclot* sans accent circonflexe.
Enclore possède les formes *nous enclosons, vous enclosez ;* impératif : *enclosons, enclosez.* L'Académie écrit sans accent circonflexe : *il enclot.*
Déclore ne prend pas l'accent circonflexe au présent de l'indicatif : *il déclot.* N'est guère usité qu'à l'infinitif et au participe passé *déclos, déclose.*

71 VERBES EN **-CLURE : CONCLURE**

INDICATIF

Présent		Passé composé	
je	con clus	j' ai	conclu
tu	con clus	tu as	conclu
il	con clut	il a	conclu
nous	con cluons	n. avons	conclu
vous	con cluez	v. avez	conclu
ils	con cluent	ils ont	conclu

Imparfait		Plus-que-parfait	
je	con cluais	j' avais	conclu
tu	con cluais	tu avais	conclu
il	con cluait	il avait	conclu
nous	con cluions	n. avions	conclu
vous	con cluiez	v. aviez	conclu
ils	con cluaient	ils avaient	conclu

Passé simple		Passé antérieur	
je	con clus	j' eus	conclu
tu	con clus	tu eus	conclu
il	con clut	il eut	conclu
nous	con clûmes	n. eûmes	conclu
vous	con clûtes	v. eûtes	conclu
ils	con clurent	ils eurent	conclu

Futur simple		Futur antérieur	
je	con clurai	j' aurai	conclu
tu	con cluras	tu auras	conclu
il	con clura	il aura	conclu
nous	con clurons	n. aurons	conclu
vous	con clurez	v. aurez	conclu
ils	con cluront	ils auront	conclu

SUBJONCTIF

Présent		Passé	
que je	con clue	que j'	aie	conclu
que tu	con clues	que tu	aies	conclu
qu'il	con clue	qu'il	ait	conclu
que n.	con cluions	que n.	ayons	conclu
que v.	con cluiez	que v.	ayez	conclu
qu'ils	con cluent	qu'ils	aient	conclu

Imparfait		Plus-que-parfait	
que je	con clusse	que j'	eusse	conclu
que tu	con clusses	que tu	eusses	conclu
qu'il	con clût	qu'il	eût	conclu
que n.	con clussions	que n.	eussions	conclu
que v.	con clussiez	que v.	eussiez	conclu
qu'ils	con clussent	qu'ils	eussent	conclu

IMPÉRATIF

Présent	Passé	
con clus	aie	conclu
con cluons	ayons	conclu
con cluez	ayez	conclu

CONDITIONNEL

Présent		Passé 1re forme	
je con	clurais	j' aurais	conclu
tu con	clurais	tu aurais	conclu
il con	clurait	il aurait	conclu
n. con	clurions	n. aurions	conclu
v. con	cluriez	v. auriez	conclu
ils con	cluraient	ils auraient	conclu

Passé 2e forme	
j' eusse	conclu
tu eusses	conclu
il eût	conclu
n. eussions	conclu
v. eussiez	conclu
ils eussent	conclu

INFINITIF

Présent	Passé
con clure	avoir conclu

PARTICIPE

Présent	Passé
con cluant	con clu, ue
	ayant conclu

Inclure fait au participe passé *inclus(e)*. Noter l'opposition exclu(e)/inclus(e).
Occlure fait au participe passé *occlus(e)*.

86

INDICATIF

Présent		Passé composé	
j'	ab sous	j' ai	absous
tu	ab sous	tu as	absous
il	ab sout	il a	absous
nous	ab solvons	n. avons	absous
vous	ab solvez	v. avez	absous
ils	ab solvent	ils ont	absous

Imparfait		Plus-que-parfait	
j'	ab solvais	j' avais	absous
tu	ab solvais	tu avais	absous
il	ab solvait	il avait	absous
nous	ab solvions	n. avions	absous
vous	ab solviez	v. aviez	absous
ils	ab solvaient	ils avaient	absous

Passé simple		Passé antérieur	
		j' eus	absous
		tu eus	absous
N'existe pas		il eut	absous
		n. eûmes	absous
		v. eûtes	absous
		ils eurent	absous

Futur simple		Futur antérieur	
j'	ab soudrai	j' aurai	absous
tu	ab soudras	tu auras	absous
il	ab soudra	il aura	absous
nous	ab soudrons	n. aurons	absous
vous	ab soudrez	v. aurez	absous
ils	ab soudront	ils auront	absous

INFINITIF

Présent	Passé
ab soudre	avoir absous

PARTICIPE

Présent	Passé
ab solvant	absous, oute
	ayant absous

SUBJONCTIF

Présent		Passé	
que j'	ab solve	que j' aie	absous
que tu	ab solves	que tu aies	absous
qu'il	ab solve	qu'il ait	absous
que n.	ab solvions	que n. ayons	absous
que v.	ab solviez	que v. ayez	absous
qu'ils	ab solvent	qu'ils aient	absous

Imparfait	Plus-que-parfait	
	que j' eusse	absous
	que tu eusses	absous
N'existe pas	qu'il eût	absous
	que n. eussions	absous
	que v. eussiez	absous
	qu'ils eussent	absous

IMPÉRATIF

Présent	Passé	
ab sous	aie	absous
ab solvons	ayons	absous
ab solvez	ayez	absous

CONDITIONNEL

Présent		Passé 1re forme	
j'	ab soudrais	j' aurais	absous
tu	ab soudrais	tu aurais	absous
il	ab soudrait	il aurait	absous
n.	ab soudrions	n. aurions	absous
v.	ab soudriez	v. auriez	absous
ils	ab soudraient	ils auraient	absous

Passé 2e forme	
j' eusse	absous
tu eusses	absous
il eût	absous
n. eussions	absous
v. eussiez	absous
ils eussent	absous

Absoudre. Le participe passé *absous, absoute* a éliminé un ancien participe passé *absolu* qui s'est conservé comme adjectif au sens de : *complet, sans restriction.* Bien qu'admis par Littré, le passé simple *j'absolus* ne s'emploie pas.
Dissoudre se conjugue comme **absoudre,** y compris le participe passé *dissous, dissoute,* distinct de l'ancien participe *dissolu, ue* qui a subsisté comme adjectif au sens de *corrompu, débauché.*
Résoudre, à la différence de **absoudre,** possède un passé simple : *je résolus* et un subjonctif imparfait : *que je résolusse.* Le participe passé est *résolu : j'ai résolu ce problème.* Mais il existe un participe passé *résous* (fém. *résoute* très rare) qui n'est usité qu'en parlant des choses qui changent d'état : *brouillard résous en pluie.* Noter l'adjectif *résolu* signifiant *hardi.*

73 VERBE **COUDRE**

INDICATIF

Présent		Passé composé		
je	couds	j'	ai	cousu
tu	couds	tu	as	cousu
il	coud	il	a	cousu
nous	cousons	n.	avons	cousu
vous	cousez	v.	avez	cousu
ils	cousent	ils	ont	cousu

Imparfait		Plus-que-parfait		
je	cousais	j'	avais	cousu
tu	cousais	tu	avais	cousu
il	cousait	il	avait	cousu
nous	cousions	n.	avions	cousu
vous	cousiez	v.	aviez	cousu
ils	cousaient	ils	avaient	cousu

Passé simple		Passé antérieur		
je	cousis	j'	eus	cousu
tu	cousis	tu	eus	cousu
il	cousit	il	eut	cousu
nous	cousîmes	n.	eûmes	cousu
vous	cousîtes	v.	eûtes	cousu
ils	cousirent	ils	eurent	cousu

Futur simple		Futur antérieur		
je	coudrai	j'	aurai	cousu
tu	coudras	tu	auras	cousu
il	coudra	il	aura	cousu
nous	coudrons	n.	aurons	cousu
vous	coudrez	v.	aurez	cousu
ils	coudront	ils	auront	cousu

SUBJONCTIF

Présent		Passé		
que je	couse	que j'	aie	cousu
que tu	couses	que tu	aies	cousu
qu'il	couse	qu'il	ait	cousu
que n.	cousions	que n.	ayons	cousu
que v.	cousiez	que v.	ayez	cousu
qu'ils	cousent	qu'ils	aient	cousu

Imparfait		Plus-que-parfait		
que je	cousisse	que j'	eusse	cousu
que tu	cousisses	que tu	eusses	cousu
qu'il	cousît	qu'il	eût	cousu
que n.	cousissions	que n.	eussions	cousu
que v.	cousissiez	que v.	eussiez	cousu
qu'ils	cousissent	qu'ils	eussent	cousu

IMPERATIF

Présent	Passé	
couds	aie	cousu
cousons	ayons	cousu
cousez	ayez	cousu

CONDITIONNEL

Présent		Passé 1ʳᵉ forme		
je	coudrais	j'	aurais	cousu
tu	coudrais	tu	aurais	cousu
il	coudrait	il	aurait	cousu
n.	coudrions	n.	aurions	cousu
v.	coudriez	v.	auriez	cousu
ils	coudraient	ils	auraient	cousu

Passé 2ᵉ forme		
j'	eusse	cousu
tu	eusses	cousu
il	eût	cousu
n.	eussions	cousu
v.	eussiez	cousu
ils	eussent	cousu

INFINITIF

Présent	Passé
coudre	avoir cousu

PARTICIPE

Présent	Passé
cousant	cousu, ue
	ayant cousu

Ainsi se conjuguent **découdre, recoudre.**

INDICATIF

Présent		Passé composé		
je	mouds	j'	ai	moulu
tu	mouds	tu	as	moulu
il	moud	il	a	moulu
nous	moulons	n.	avons	moulu
vous	moulez	v.	avez	moulu
ils	moulent	ils	ont	moulu

Imparfait		Plus-que-parfait		
je	moulais	j'	avais	moulu
tu	moulais	tu	avais	moulu
il	moulait	il	avait	moulu
nous	moulions	n.	avions	moulu
vous	mouliez	v.	aviez	moulu
ils	moulaient	ils	avaient	moulu

Passé simple		Passé antérieur		
je	moulus	j'	eus	moulu
tu	moulus	tu	eus	moulu
il	moulut	il	eut	moulu
nous	moulûmes	n.	eûmes	moulu
vous	moulûtes	v.	eûtes	moulu
ils	moulurent	ils	eurent	moulu

Futur simple		Futur antérieur		
je	moudrai	j'	aurai	moulu
tu	moudras	tu	auras	moulu
il	moudra	il	aura	moulu
nous	moudrons	n.	aurons	moulu
vous	moudrez	v.	aurez	moulu
ils	moudront	ils	auront	moulu

SUBJONCTIF

Présent		Passé		
que je	moule	que j'	aie	moulu
que tu	moules	que tu	aies	moulu
qu'il	moule	qu'il	ait	moulu
que n.	moulions	que n.	ayons	moulu
que v.	mouliez	que v.	ayez	moulu
qu'ils	moulent	qu'ils	aient	moulu

Imparfait		Plus-que-parfait		
que je	moulusse	que j'	eusse	moulu
que tu	moulusses	que tu	eusses	moulu
qu'il	moulût	qu'il	eût	moulu
que n.	moulussions	que n.	eussions	moulu
que v.	moulussiez	que v.	eussiez	moulu
qu'ils	moulussent	qu'ils	eussent	moulu

IMPÉRATIF

Présent	Passé	
mouds	aie	moulu
moulons	ayons	moulu
moulez	ayez	moulu

CONDITIONNEL

Présent	Passé 1re forme		
je moudrais	j'	aurais	moulu
tu moudrais	tu	aurais	moulu
il moudrait	il	aurait	moulu
n. moudrions	n.	aurions	moulu
v. moudriez	v.	auriez	moulu
ils moudraient	ils	auraient	moulu

Passé 2e forme		
j'	eusse	moulu
tu	eusses	moulu
il	eût	moulu
n.	eussions	moulu
v.	eussiez	moulu
ils	eussent	moulu

INFINITIF

Présent	Passé
moudre	avoir moulu

PARTICIPE

Présent	Passé
moulant	moulu, ue
	ayant moulu

Ainsi se conjuguent **émoudre, remoudre.**

75 VERBE SUIVRE

INDICATIF

Présent		Passé composé	
je	suis	j' ai	suivi
tu	suis	tu as	suivi
il	suit	il a	suivi
nous	suivons	n. avons	suivi
vous	suivez	v. avez	suivi
ils	suivent	ils ont	suivi

Imparfait		Plus-que-parfait	
je	suivais	j' avais	suivi
tu	suivais	tu avais	suivi
il	suivait	il avait	suivi
nous	suivions	n. avions	suivi
vous	suiviez	v. aviez	suivi
ils	suivaient	ils avaient	suivi

Passé simple		Passé antérieur	
je	suivis	j' eus	suivi
tu	suivis	tu eus	suivi
il	suivit	il eut	suivi
nous	suivîmes	n. eûmes	suivi
vous	suivîtes	v. eûtes	suivi
ils	suivirent	ils eurent	suivi

Futur simple		Futur antérieur	
je	suivrai	j' aurai	suivi
tu	suivras	tu auras	suivi
il	suivra	il aura	suivi
nous	suivrons	n. aurons	suivi
vous	suivrez	v. aurez	suivi
ils	suivront	ils auront	suivi

SUBJONCTIF

Présent	Passé	
que je suive	que j' aie	suivi
que tu suives	que tu aies	suivi
qu'il suive	qu'il ait	suivi
que n. suivions	que n. ayons	suivi
que v. suiviez	que v. ayez	suivi
qu'ils suivent	qu'ils aient	suivi

Imparfait	Plus-que-parfait	
que je suivisse	que j' eusse	suivi
que tu suivisses	que tu eusses	suivi
qu'il suivît	qu'il eût	suivi
que n. suivissions	que n. eussions	suivi
que v. suivissiez	que v. eussiez	suivi
qu'ils suivissent	qu'ils eussent	suivi

IMPÉRATIF

Présent	Passé	
suis	aie	suivi
suivons	ayons	suivi
suivez	ayez	suivi

CONDITIONNEL

Présent		Passé 1ʳᵉ forme	
je	suivrais	j' aurais	suivi
tu	suivrais	tu aurais	suivi
il	suivrait	il aurait	suivi
n.	suivrions	n. aurions	suivi
v.	suivriez	v. auriez	suivi
ils	suivraient	ils auraient	suivi

Passé 2ᵉ forme		
j'	eusse	suivi
tu	eusses	suivi
il	eût	suivi
n.	eussions	suivi
v.	eussiez	suivi
ils	eussent	suivi

INFINITIF

Présent	Passé
suivre	avoir suivi

PARTICIPE

Présent	Passé
suivant	suivi, ie
	ayant suivi

Ainsi se conjuguent **s'ensuivre** (auxiliaire **être**) et **poursuivre**.

INDICATIF

Présent		Passé composé		
je	vis	j'	ai	vécu
tu	vis	tu	as	vécu
il	vit	il	a	vécu
nous	vivons	n.	avons	vécu
vous	vivez	v.	avez	vécu
ils	vivent	ils	ont	vécu

Imparfait		Plus-que-parfait		
je	vivais	j'	avais	vécu
tu	vivais	tu	avais	vécu
il	vivait	il	avait	vécu
nous	vivions	n.	avions	vécu
vous	viviez	v.	aviez	vécu
ils	vivaient	ils	avaient	vécu

Passé simple		Passé antérieur		
je	vécus	j'	eus	vécu
tu	vécus	tu	eus	vécu
il	vécut	il	eut	vécu
nous	vécûmes	n.	eûmes	vécu
vous	vécûtes	v.	eûtes	vécu
ils	vécurent	ils	eurent	vécu

Futur simple		Futur antérieur		
je	vivrai	j'	aurai	vécu
tu	vivras	tu	auras	vécu
il	vivra	il	aura	vécu
nous	vivrons	n.	aurons	vécu
vous	vivrez	v.	aurez	vécu
ils	vivront	ils	auront	vécu

INFINITIF

Présent	Passé
vivre	avoir vécu

SUBJONCTIF

Présent		Passé		
que je	vive	que j'	aie	vécu
que tu	vives	que tu	aies	vécu
qu'il	vive	qu'il	ait	vécu
que n.	vivions	que n.	ayons	vécu
que v.	viviez	que v.	ayez	vécu
qu'ils	vivent	qu'ils	aient	vécu

Imparfait		Plus-que-parfait		
que je	vécusse	que j'	eusse	vécu
que tu	vécusses	que tu	eusses	vécu
qu'il	vécût	qu'il	eût	vécu
que n.	vécussions	que n.	eussions	vécu
que v.	vécussiez	que v.	eussiez	vécu
qu'ils	vécussent	qu'ils	eussent	vécu

IMPÉRATIF

Présent	Passé	
vis	aie	vécu
vivons	ayons	vécu
vivez	ayez	vécu

CONDITIONNEL

Présent		Passé 1re forme		
je	vivrais	j'	aurais	vécu
tu	vivrais	tu	aurais	vécu
il	vivrait	il	aurait	vécu
n.	vivrions	n.	aurions	vécu
v.	vivriez	v.	auriez	vécu
ils	vivraient	ils	auraient	vécu

Passé 2e forme		
j'	eusse	vécu
tu	eusses	vécu
il	eût	vécu
n.	eussions	vécu
v.	eussiez	vécu
ils	eussent	vécu

PARTICIPE

Présent	Passé
vivant	vécu
	ayant vécu

Ainsi se conjuguent **revivre** et **survivre**; le participe passé de ce dernier est invariable.

77 VERBE LIRE

INDICATIF

Présent

je	lis		
tu	lis		
il	lit		
nous	lisons		
vous	lisez		
ils	lisent		

Passé composé

j'	ai	lu
tu	as	lu
il	a	lu
n.	avons	lu
v.	avez	lu
ils	ont	lu

Imparfait

je	lisais
tu	lisais
il	lisait
nous	lisions
vous	lisiez
ils	lisaient

Plus-que-parfait

j'	avais	lu
tu	avais	lu
il	avait	lu
n.	avions	lu
v.	aviez	lu
ils	avaient	lu

Passé simple

je	lus
tu	lus
il	lut
nous	lûmes
vous	lûtes
ils	lurent

Passé antérieur

j'	eus	lu
tu	eus	lu
il	eut	lu
n.	eûmes	lu
v.	eûtes	lu
ils	eurent	lu

Futur simple

je	lirai
tu	liras
il	lira
nous	lirons
vous	lirez
ils	liront

Futur antérieur

j'	aurai	lu
tu	auras	lu
il	aura	lu
n.	aurons	lu
v.	aurez	lu
ils	auront	lu

SUBJONCTIF

Présent

que je	lise
que tu	lises
qu'il	lise
que n.	lisions
que v.	lisiez
qu'ils	lisent

Passé

que j'	aie	lu
que tu	aies	lu
qu'il	ait	lu
que n.	ayons	lu
que v.	ayez	lu
qu'ils	aient	lu

Imparfait

que je	lusse
que tu	lusses
qu'il	lût
que n.	lussions
que v.	lussiez
qu'ils	lussent

Plus-que-parfait

que j'	eusse	lu
que tu	eusses	lu
qu'il	eût	lu
que n.	eussions	lu
que v.	eussiez	lu
qu'ils	eussent	lu

IMPÉRATIF

Présent

lis
lisons
lisez

Passé

aie lu
ayons lu
ayez lu

CONDITIONNEL

Présent

je	lirais
tu	lirais
il	lirait
n.	lirions
v.	liriez
ils	liraient

Passé 1re forme

j'	aurais	lu
tu	aurais	lu
il	aurait	lu
n.	aurions	lu
v.	auriez	lu
ils	auraient	lu

Passé 2e forme

j'	eusse	lu
tu	eusses	lu
il	eût	lu
n.	eussions	lu
v.	eussiez	lu
ils	eussent	lu

INFINITIF

Présent

lire

Passé

avoir lu

PARTICIPE

Présent

lisant

Passé

lu, lue
ayant lu

Ainsi se conjuguent **élire, réélire, relire.**

INDICATIF

Présent	Passé composé
je dis	j' ai dit
tu dis	tu as dit
il dit	il a dit
nous disons	n. avons dit
vous *dites*	v. avez dit
ils disent	ils ont dit

Imparfait	Plus-que-parfait
je disais	j' avais dit
tu disais	tu avais dit
il disait	il avait dit
nous disions	n. avions dit
vous disiez	v. aviez dit
ils disaient	ils avaient dit

Passé simple	Passé antérieur
je dis	j' eus dit
tu dis	tu eus dit
il dit	il eut dit
nous dîmes	n. eûmes dit
vous dîtes	v. eûtes dit
ils dirent	ils eurent dit

Futur simple	Futur antérieur
je dirai	j' aurai dit
tu diras	tu auras dit
il dira	il aura dit
nous dirons	n. aurons dit
vous direz	v. aurez dit
ils diront	ils auront dit

SUBJONCTIF

Présent	Passé
que je dise	que j' aie dit
que tu dises	que tu aies dit
qu'il dise	qu'il ait dit
que n. disions	que n. ayons dit
que v. disiez	que v. ayez dit
qu'ils disent	qu'ils aient dit

Imparfait	Plus-que-parfait
que je disse	que j' eusse dit
que tu disses	que tu eusses dit
qu'il dît	qu'il eût dit
que n. dissions	que n. eussions dit
que v. dissiez	que v. eussiez dit
qu'ils dissent	qu'ils eussent dit

IMPÉRATIF

Présent	Passé
dis	aie dit
disons	ayons dit
dites	ayez dit

CONDITIONNEL

Présent	Passé 1ʳᵉ forme
je dirais	j' aurais dit
tu dirais	tu aurais dit
il dirait	il aurait dit
n. dirions	n. aurions dit
v. diriez	v. auriez dit
ils diraient	ils auraient dit

Passé 2ᵉ forme
j' eusse dit
tu eusses dit
il eût dit
n. eussions dit
v. eussiez dit
ils eussent dit

INFINITIF

Présent	Passé
dire	avoir dit

PARTICIPE

Présent	Passé
disant	dit, ite
	ayant dit

Ainsi se conjugue **redire**. Contredire, dédire, interdire, médire et prédire ont au présent de l'indicatif et de l'impératif les formes : *(vous) contredisez, dédisez, interdisez, médisez, prédisez.* Quant à **maudire** il se conjugue sur **finir** : *nous maudissons, vous maudissez, ils maudissent, je maudissais,* etc., *maudissant,* sauf au participe passé : *maudit, ite.*

INDICATIF

Présent		**Passé composé**	
je	ris	j' ai	ri
tu	ris	tu as	ri
il	rit	il a	ri
nous	rions	n. avons	ri
vous	riez	v. avez	ri
ils	rient	ils ont	ri.

Imparfait		**Plus-que-parfait**	
je	riais	j' avais	ri
tu	riais	tu avais	ri
il	riait	il avait	ri
nous	riions	n. avions	ri
vous	riiez	v. aviez	ri
ils	riaient	ils avaient	ri

Passé simple		**Passé antérieur**	
je	ris	j' eus	ri
tu	ris	tu eus	ri
il	rit	il eut	ri
nous	rîmes	n. eûmes	ri
vous	rîtes	v. eûtes	ri
ils	rirent	ils eurent	ri

Futur simple		**Futur antérieur**	
je	rirai	j' aurai	ri
tu	riras	tu auras	ri
il	rira	il aura	ri
nous	rirons	n. aurons	ri
vous	rirez	v. aurez	ri
ils	riront	ils auront	ri

SUBJONCTIF

Présent		**Passé**	
que je rie		que j' aie	ri
que tu ries		que tu aies	ri
qu'il rie		qu'il ait	ri
que n. riions		que n. ayons	ri
que v. riiez		que v. ayez	ri
qu'ils rient		qu'ils aient	ri

Imparfait (rare)		**Plus-que-parfait**	
que je risse		que j' eusse	ri
que tu risses		que tu eusses	ri
qu'il rît		qu'il eût	ri
que n. rissions		que n. eussions ri	
que v. rissiez		que v. eussiez	ri
qu'ils rissent		qu'ils eussent	ri

IMPÉRATIF

Présent	**Passé**	
ris	aie	ri
rions	ayons ri	
riez	ayez	ri

CONDITIONNEL

Présent		**Passé 1ʳᵉ forme**	
je	rirais	j' aurais	ri
tu	rirais	tu aurais	ri
il	rirait	il aurait	ri
n.	ririons	n. aurions	ri
v.	ririez	v. auriez	ri
ils	riraient	ils auraient	ri

Passé 2ᵉ forme	
j' eusse	ri
tu eusses	ri
il eût	ri
n. eussions ri	
v. eussiez	ri
ils eussent	ri

INFINITIF

Présent	**Passé**
rire	avoir ri

PARTICIPE

Présent	**Passé**
riant	ri
	ayant ri

Remarquer les deux **i** de suite aux deux premières personnes du pluriel de l'imparfait de l'indicatif et du présent du subjonctif. Ainsi se conjugue **sourire**.

INDICATIF

Présent

j'	é cris
tu	é cris
il	é crit
nous	é crivons
vous	é crivez
ils	é crivent

Passé composé

j'	ai	écrit
tu	as	écrit
il	a	écrit
n.	avons	écrit
v.	avez	écrit
ils	ont	écrit

Imparfait

j'	é crivais
tu	é crivais
il	é crivait
nous	é crivions
vous	é criviez
ils	é crivaient

Plus-que-parfait

j'	avais	écrit
tu	avais	écrit
il	avait	écrit
n.	avions	écrit
v.	aviez	écrit
ils	avaient	écrit

Passé simple

j'	é crivis
tu	é crivis
il	é crivit
nous	é crivîmes
vous	é crivîtes
ils	é crivirent

Passé antérieur

j'	eus	écrit
tu	eus	écrit
il	eut	écrit
n.	eûmes	écrit
v.	eûtes	écrit
ils	eurent	écrit

Futur simple

j'	é crirai
tu	é criras
il	é crira
nous	é crirons
vous	é crirez
ils	é criront

Futur antérieur

j'	aurai	écrit
tu	auras	écrit
il	aura	écrit
n.	aurons	écrit
v.	aurez	écrit
ils	auront	écrit

SUBJONCTIF

Présent

que j'	é crive
que tu	é crives
qu'il	é crive
que n.	é crivions
que v.	é criviez
qu'ils	é crivent

Passé

que j'	aie	écrit
que tu	aies	écrit
qu'il	ait	écrit
que n.	ayons	écrit
que v.	ayez	écrit
qu'ils	aient	écrit

Imparfait

que j'	é crivisse
que tu	é crivisses
qu'il	é crivît
que n.	é crivissions
que v.	é crivissiez
qu'ils	é crivissent

Plus-que-parfait

que j'	eusse	écrit
que tu	eusses	écrit
qu'il	eût	écrit
que n.	eussions	écrit
que v.	eussiez	écrit
qu'ils	eussent	écrit

IMPÉRATIF

Présent

é cris
é crivons
é crivez

Passé

aie	écrit
ayons	écrit
ayez	écrit

CONDITIONNEL

Présent

j'	é crirais
tu	é crirais
il	é crirait
n.	é cririons
v.	é cririez
ils	é criraient

Passé 1re forme

j'	aurais	écrit
tu	aurais	écrit
il	aurait	écrit
n.	aurions	écrit
v.	auriez	écrit
ils	auraient	écrit

Passé 2e forme

j'	eusse	écrit
tu	eusses	écrit
il	eût	écrit
n.	eussions	écrit
v.	eussiez	écrit
ils	eussent	écrit

INFINITIF

Présent

é crire

Passé

avoir écrit

PARTICIPE

Présent

é crivant

Passé

écrit, ite
ayant écrit

Ainsi se conjuguent **récrire, décrire** et tous les composés en **-scrire** (page 99).

INDICATIF

Présent		Passé composé	
je	confis	j' ai	confit
tu	confis	tu as	confit
il	confit	il a	confit
nous	confisons	n. avons	confit
vous	confisez	v. avez	confit
ils	confisent	ils ont	confit

Imparfait		Plus-que-parfait	
je	confisais	j' avais	confit
tu	confisais	tu avais	confit
il	confisait	il avait	confit
nous	confisions	n. avions	confit
vous	confisiez	v. aviez	confit
ils	confisaient	ils avaient	confit

Passé simple		Passé antérieur	
je	confis	j' eus	confit
tu	confis	tu eus	confit
il	confit	il eut	confit
nous	confîmes	n. eûmes	confit
vous	confîtes	v. eûtes	confit
ils	confirent	ils eurent	confit

Futur simple		Futur antérieur	
je	confirai	j' aurai	confit
tu	confiras	tu auras	confit
il	confira	il aura	confit
nous	confirons	n. aurons	confit
vous	confirez	v. aurez	confit
ils	confiront	ils auront	confit

SUBJONCTIF

Présent		Passé	
que je	confise	que j' aie	confit
que tu	confises	que tu aies	confit
qu'il	confise	qu'il ait	confit
que n.	confisions	que n. ayons	confit
que v.	confisiez	que v. ayez	confit
qu'ils	confisent	qu'ils aient	confit

Imparfait		Plus-que-parfait	
que je	confisse	que j' eusse	confit
que tu	confisses	que tu eusses	confit
qu'il	confît	qu'il eût	confit
que n.	confissions	que n. eussions	confit
que v.	confissiez	que v. eussiez	confit
qu'ils	confissent	qu'ils eussent	confit

IMPÉRATIF

Présent	Passé	
confis	aie	confit
confisons	ayons	confit
confisez	ayez	confit

CONDITIONNEL

Présent		Passé 1ʳᵉ forme	
je	confirais	j' aurais	confit
tu	confirais	tu aurais	confit
il	confirait	il aurait	confit
n.	confirions	n. aurions	confit
v.	confiriez	v. auriez	confit
ils	confiraient	ils auraient	confit

Passé 2ᵉ forme		
j'	eusse	confit
tu	eusses	confit
il	eût	confit
n.	eussions	confit
v.	eussiez	confit
ils	eussent	confit

INFINITIF

Présent	Passé
confire	avoir confit

PARTICIPE

Présent	Passé
confisant	confit, ite
	ayant confit

Circoncire, tout en se conjuguant sur **confire,** fait au participe passé *circoncis, ise.*
Frire n'est usité qu'au singulier du présent de l'indicatif et de l'impératif : *je fris, tu fris, il frit, fris;* rarement au futur et au conditionnel : *je frirai... je frirais... ;* au participe passé *frit, frite,* et aux temps composés formés avec l'auxiliaire **avoir.** Aux temps et aux personnes où **frire** est défectif, on lui substitue le verbe **faire frire,** du moins quand **frire** devrait être employé au sens transitif : *ils font frire du poisson.* Le verbe **frire** peut en effet être employé au sens intransitif : *le beurre frit dans la poêle.*
Suffire se conjugue sur **confire.** Remarquer toutefois que le participe passé est **suffi** (sans **t**), invariable même à la forme pronominale : *Les pauvres femmes se sont suffi avec peine jusqu'à présent.*

INDICATIF

Présent		*Passé composé*	
je	cuis	j' ai	cuit
tu	cuis	tu as	cuit
il	cuit	il a	cuit
nous	cuisons	n. avons	cuit
vous	cuisez	v. avez	cuit
ils	cuisent	ils ont	cuit

Imparfait		*Plus-que-parfait*	
je	cuisais	j' avais	cuit
tu	cuisais	tu avais	cuit
il	cuisait	il avait	cuit
nous	cuisions	n. avions	cuit
vous	cuisiez	v. aviez	cuit
ils	cuisaient	ils avaient	cuit

Passé simple		*Passé antérieur*	
je	cuisis	j' eus	cuit
tu	cuisis	tu eus	cuit
il	cuisit	il eut	cuit
nous	cuisîmes	n. eûmes	cuit
vous	cuisîtes	v. eûtes	cuit
ils	cuisirent	ils eurent	cuit

Futur simple		*Futur antérieur*	
je	cuirai	j' aurai	cuit
tu	cuiras	tu auras	cuit
il	cuira	il aura	cuit
nous	cuirons	n. aurons	cuit
vous	cuirez	v. aurez	cuit
ils	cuiront	ils auront	cuit

SUBJONCTIF

Présent	*Passé*	
que je cuise	que j' aie	cuit
que tu cuises	que tu aies	cuit
qu'il cuise	qu'il ait	cuit
que n. cuisions	que n. ayons	cuit
que v. cuisiez	que v. ayez	cuit
qu'ils cuisent	qu'ils aient	cuit

Imparfait	*Plus-que-parfait*	
que je cuisisse	que j' eusse	cuit
que tu cuisisses	que tu eusses	cuit
qu'il cuisît	qu'il eût	cuit
que n. cuisissions	que n. eussions	cuit
que v. cuisissiez	que v. eussiez	cuit
qu'ils cuisissent	qu'ils eussent	cuit

IMPÉRATIF

Présent	*Passé*	
cuis	aie	cuit
cuisons	ayons	cuit
cuisez	ayez	cuit

CONDITIONNEL

Présent		*Passé 1re forme*	
je	cuirais	j' aurais	cuit
tu	cuirais	tu aurais	cuit
il	cuirait	il aurait	cuit
n.	cuirions	n. aurions	cuit
v.	cuiriez	v. auriez	cuit
ils	cuiraient	ils auraient	cuit

Passé 2e forme		
j'	eusse	cuit
tu	eusses	cuit
il	eût	cuit
n.	eussions	cuit
v.	eussiez	cuit
ils	eussent	cuit

INFINITIF

Présent	*Passé*
cuire	avoir cuit

PARTICIPE

Présent	*Passé*
cuisant	cuit, uite
	ayant cuit

Ainsi se conjuguent **conduire, construire,** luire nuire et leurs composés (page 99). Noter les participes passés invariables *lui, nui.*
Pour *reluire* comme pour *luire*, le passé simple **je (re)luisis** est supplanté par **je (re)luis… … ils (re)luirent.**

LISTE ALPHABÉTIQUE DE TOUS LES VERBES DU 3ᵉ GROUPE

23 tenir
abstenir (s')
appartenir
contenir
détenir
entretenir
maintenir
obtenir
retenir
soutenir
venir
advenir
circonvenir
contrevenir
convenir
devenir
disconvenir
intervenir
obvenir
parvenir
prévenir
provenir
redevenir
ressouvenir (se)
revenir
souvenir (se)
subvenir
survenir
24 acquérir
conquérir
enquérir (s')
quérir
reconquérir
requérir
25 sentir
consentir
pressentir
ressentir
mentir
démentir
partir
départir
repartir
repentir (se)
sortir
ressortir

26 vêtir
dévêtir
revêtir
27 couvrir
découvrir
recouvrir
ouvrir
entrouvrir
rentrouvrir
rouvrir
offrir
souffrir
28 cueillir
accueillir
recueillir
29 assaillir
saillir
tressaillir
30 faillir
défaillir
31 bouillir
débouillir
rebouillir
32 dormir
endormir
redormir
rendormir
33 courir
accourir
concourir
discourir
encourir
parcourir
recourir
secourir
34 mourir
35 servir
desservir
resservir
(asservir 19)
36 fuir
enfuir (s')
refuir
37 ouïr
gésir
38 recevoir
apercevoir

concevoir
décevoir
percevoir
39 voir
entrevoir
prévoir
revoir
40 pourvoir
dépourvoir
41 savoir
resavoir
42 devoir
redevoir
43 pouvoir
44 mouvoir
émouvoir
promouvoir
45 pleuvoir
repleuvoir
46 falloir
47 valoir
équivaloir
prévaloir
revaloir
48 vouloir
49 asseoir
rasseoir
50 seoir
messeoir
51 surseoir
52 choir
déchoir
échoir
53 rendre
1   *défendre*
descendre
condescendre
redescendre
fendre
pourfendre
refendre
pendre
appendre
dépendre
rependre
suspendre
tendre
attendre

détendre
distendre
entendre
étendre
prétendre
retendre
sous-entendre
sous-tendre
vendre
mévendre
revendre
2   *épandre*
répandre
3   *fondre*
confondre
morfondre (se)
parfondre
refondre
pondre
répondre
correspondre
tondre
retondre
4   *perdre*
reperdre
5   *mordre*
démordre
remordre
tordre
détordre
distordre
retordre
6   *rompre*
corrompre
interrompre
7   foutre
contrefoutre (se)
54 prendre
apprendre
comprendre
déprendre
désapprendre
entreprendre
éprendre (s')
méprendre (se)
réapprendre
reprendre
surprendre

classés dans l'ordre des tableaux de conjugaison où se trouve entièrement conjugué soit le verbe lui-même, soit le verbe type (en gras) qui lui sert de modèle, à l'auxiliaire près.

55 battre
abattre
combattre
contre-battre
débattre
ébattre (s')
embatre
rabattre
rebattre

56 mettre
admettre
commettre
compromettre
démettre
émettre
entremettre (s')
omettre
permettre
promettre
réadmettre
remettre
retransmettre
soumettre
transmettre

57 peindre
dépeindre
repeindre
astreindre
étreindre
restreindre
atteindre
aveindre
ceindre
enceindre
empreindre
épreindre
enfreindre
feindre
geindre
teindre
déteindre
éteindre
reteindre

58 joindre
adjoindre
conjoindre
disjoindre
enjoindre
rejoindre
oindre
poindre

59 craindre
contraindre
plaindre

60 vaincre
convaincre

61 traire
abstraire
distraire
extraire
retraire
soustraire
braire

62 faire
contrefaire
défaire
forfaire
malfaire
méfaire
parfaire
redéfaire
refaire
satisfaire
surfaire

63 plaire
complaire
déplaire
taire

64 connaître
méconnaître
reconnaître
paraître
apparaître
comparaître
disparaître
réapparaître
recomparaître
reparaître
transparaître

65 naître
renaître

66 paître
repaître

67 croître
accroître
décroître
recroître

68 croire
accroire

69 boire
emboire

70 clore
déclore
éclore
enclore
forclore

71 conclure
exclure
inclure
occlure
reclure

72 absoudre
dissoudre
résoudre

73 coudre
découdre
recoudre

74 moudre
émoudre
remoudre

75 suivre
ensuivre (s')
poursuivre

76 vivre
revivre
survivre

77 lire
élire
réélire
relire

78 dire
contredire
dédire
interdire
(maudire 19)
médire
prédire
redire

79 rire
sourire

80 écrire
circonscrire
décrire
inscrire
prescrire
proscrire
récrire
réinscrire
retranscrire
souscrire
transcrire

81 confire
déconfire
circoncire
frire
suffire

82 cuire
recuire
conduire
déduire
éconduire
enduire
induire
introduire
produire
reconduire
réduire
réintroduire
renduire
reproduire
retraduire
séduire
traduire
construire
détruire
instruire
reconstruire
luire
entre-luire
reluire
nuire
entre-nuire (s')

LE CHOIX DE L'AUXILIAIRE

Se conjuguent avec être ou avoir (♦) selon la nuance de l'emploi les verbes :

apparaître [1]	déborder	diminuer	expirer	rajeunir
atterrir	décamper	disconvenir [3]	faillir	ressusciter
augmenter	déchoir	disparaître [4]	grandir	résulter
camper	décroître	divorcer	grossir	sonner
changer	dégeler	échapper [5]	maigrir	stationner
chavirer	dégénérer	échouer	monter [7]	tourner
convenir	déménager	éclore [6]	paraître	trébucher
crever	demeurer	embellir	passer	trépasser
crouler	dénicher	empirer	pourrir	vieillir
croupir	descendre [2]	enlaidir		

1. **Apparaître,** selon les grammairiens et l'Académie, se construit, comme *disparaître,* indifféremment avec l'auxiliaire **être** ou **avoir** : *Les spectres lui* **ont** *apparu* ou *lui* **sont** *apparus* (Ac.). Il semble cependant préférable d'employer **avoir** si l'on considère l'action : *Les patriarches lui dressèrent des autels en certains endroits où il leur* **avait** *apparu* (Massillon); **être** si l'on considère le résultat : *Elle m'est apparue avec trop d'avantage* (Racine). Mais l'usage tend à généraliser l'auxiliaire **être,** même quand on considère uniquement l'action : *Cet homme m'est apparu au moment où je le croyais bien loin* (Ac.).

2. **Descendre.** Quand on veut insister sur le résultat on emploie toujours l'auxiliaire **être** : *Il est descendu chez des amis* (Ac.). Mais même pour indiquer l'action l'auxiliaire **être** s'emploie plus couramment qu'**avoir** : *Nous* **sommes** *aussitôt descendus de voiture.* Cependant on peut correctement écrire : *Il a descendu bien promptement* (Ac.).

3. **Disconvenir** se conjugue avec l'auxiliaire **être** au sens de *ne pas convenir d'une chose, la nier,* avec l'auxiliaire **avoir** au sens de *ne pas convenir à,* mais cette acception est désuète.

4. **Disparaître,** comme **apparaître,** prend normalement l'auxiliaire **avoir** pour exprimer l'action, l'auxiliaire **être** pour exprimer l'état résultant de cette action. Quand, avec l'Académie, je dis : *le soleil a disparu derrière l'horizon,* j'indique qu'à un moment donné le soleil a fait, apparemment, l'action de descendre par-delà la ligne d'horizon. Mais si, constatant l'absence du soleil dans le ciel, je veux exprimer l'état consécutif à cette disparition, je dirai : *Le soleil est disparu.*

5. **Échapper** veut toujours l'auxiliaire **avoir** au sens de *n'être pas saisi, n'être pas compris* : *Votre demande* **m'avait** *d'abord échappé.* Au sens de *être dit ou fait par inadvertance,* il prend l'auxiliaire **être** : *Il est impossible qu'une pareille bévue lui* **soit** *échappée* (Ac.). Au sens de *s'enfuir,* il utilise **avoir** ou **être** selon que l'on insiste sur l'action ou sur l'état : *Le prisonnier* **a** *échappé. Il* **est** *échappé de prison.* Noter le participe passé non accordé dans l'expression : *Il l'a* **échappé** *belle.*

6. **Éclore.** On emploie parfois l'auxiliaire **avoir** pour insister sur l'action elle-même : *Ces poussins* **ont** *éclos ce matin ; ceux-là* **sont** *éclos depuis hier.* Mais l'auxiliaire **être** est toujours possible : *Ces fleurs* **sont** *écloses cette nuit* (Ac.).

7. **Monter,** verbe intransitif, est conjugué normalement avec l'auxiliaire **être** : *Il* **est** *monté à sa chambre* (Ac.). Cependant, pour insister sur l'action en train de se faire, il peut se construire avec l'auxiliaire **avoir,** particulièrement dans certaines expressions consacrées par l'usage : *Il est hors d'haleine pour* **avoir** *monté trop vite* (Ac.). *La Seine* **a** *monté ; le thermomètre* **a** *monté ; les prix* **ont** *monté.*

3
Dictionnaire orthographique des verbes

(avec indications d'emploi et renvois aux tableaux)

CODE DES SIGNES DU DICTIONNAIRE

battre Ces verbes sont particulièrement fréquents (voir l'Échelle D-B *Ters et Reichenbach*, tranches 1 et 2).

19 Renvoi aux verbes types dans les tableaux.

19 Renvoi aux tableaux (soit au modèle soit aux notes).

à, de, etc. Rappel de la préposition régie par le verbe.

I Verbe ou emploi intransitif.

T Verbe ou emploi transitif direct.

P Verbe ou emploi pronominal.

P Participe invariable dans l'emploi pronominal.

♦ Ce verbe se conjugue avec *être*.

♦ Ce verbe se conjugue avec *être* OU *avoir* (cf. p. 100).

D Verbe défectif.

il Verbe ou emploi impersonnel.

≃ Ne s'emploie que sous cette forme.

a

b

	n°
bétonner, T	6
beugler, I, T	6
beurrer, T, P	6
biaiser, I	6
bibeloter, I	6
biberonner, I	6
bicher, I, ça	6
bichonner, T	6
bichoter, ça	6
bidonner, P	6
bienvenir	D
≃ infinitif	
biffer, T	6
bifurquer, I	6
bigarrer, T	6
bigler, I, T	6
bigorner, T	6
biler, P	6
billancher, I	6
billebauder, I	6
billonner, T	6
biloquer, T	6
biner, I, T	6
biscuiter, T	6
biseauter, T	6
bisegmenter, T	6
biser, I, T	6
bisquer, I	6
bissecter, T	6
bisser, T	6
bistourner, T	6
bistrer, T	6
biter, T	6
bitter, T	6
bitumer, T	6
bituminer, T	6
bit(t)urer, P	6
bivouaquer, I	6
bizuter, T	6
blablater, I	6
blackbouler, T	6
blaguer, I, T	6

	n°
blairer, T	6
blâmer, T,	6
blanchir, I, T, P	19
blaser, T, P	6
blasonner, T	6
blasphémer, I, T	10
blatérer, I	10
blêmir, I, T	19
bléser, I	10
blesser, T, P	6
blettir, I	19
bleuir, I, T	19
bleuter, T	6
blinder, T	6
blondir, I, T	19
blondoyer, I	17
bloquer, T, P	6
blottir, P	19
blouser, I, T	6
bluffer, I, T	6
bluter, T	6
bobiner, T	6
bocarder, T	6
boetter, T	6
boire, T	69
boiser, T	6
boiter, I	6
boîter, T	6
boitiller, I	6
bolchéviser, T	6
bombarder, T	6
bomber, I, T	6
bonder, T	6
bondériser, T	6
bondir, I	19
bondonner, T	6
bonifier, T, P	15
bonimenter, I	6
border, T	6
borner, T, P	6
bornoyer, I, T	17
bosseler, T, P	11

	n°
bosser, T	6
bossuer, T	6
bostonner, I	6
botaniser, I	6
botteler, T	11
botter, I, T	6
boubouler, I	6
boucaner, T	6
boucharder, T	6
boucher, T, P	6
bouchonner, T	6
boucler, I, T, P	6
bouder, I, T	6
boudiner, T	6
bouffer, I, T, P	6
bouffir, I, T	19
bouffonner, I	6
bouger, I, T, P	8
bougonner, I	6
bouillir, I, T	31
bouillonner, I	6
bouillotter, I	6
boulanger, I, T	8
bouler, I, T	6
bouleverser, T	6
boulonner, I, T	6
boulotter, T	6
boumer, I, ça	6
bouquiner, I, T	6
bourder, I	6
bourdonner, I	6
bourgeonner, I	6
bourlinguer, I	6
bourreler, T	11
bourrer, I, T, P	6
bourriquer, I	6
boursicoter, I	6
boursoufler, T, P	6
bousculer, T, P	6
bousiller, I, T	6
boustifailler, I	6
bouter, T	6

	n°
boutonner, I, T, P	6
bouturer, I	6
boxer, I, T	6
boycotter, T	6
braconner, I, T	6
brader, T	6
brailler, I, T	6
braire, I	61
braiser, T	6
bramer, I, T	6
brancher, I, T, P	6
brandiller, I, T	6
brandir, T	19
branler, I, T, P	6
braquer, I, T, P	6
braser, T	6
brasiller, I	6
brasser, T, P	6
braver, T	6
brayer, T	16
bredouiller, I, T	6
bréler, T	10
brêler, T	6
breller, T	6
brésiller, T, P	6
bretailler, I	6
bretteler, T	11
bretter, T	6
breveter, T	11
bricoler, I, T	6
brider, T	6
bridger, I	8
brif(f)er, T	6
brigander, I, T	6
briguer, T	6
brillanter, T	6
brillantiner, T	6
briller, I	6
brimbaler, I, T	6
brimer, T	6
bringueballer, I, T	6
brinquebal(l)er, I, T	6

	n°
briquer, T	6
briqueter, T	11
briser, T, P	6
brocanter, T	6
brocarder, T	6
brocher, T	6
broder, I, T	6
broncher, I	6
bronzer, I, T, P	6
brosser, I, T, P	6
brouetter, T	6
brouillasser, il	6
brouiller, T, P	6
brouillonner, T	6
brouter, I, T	6
broyer, T	17
bruiner, il	6
bruir, T	19
bruire, I, T	D
$\simeq$ il bruit	
ils bruissent	
il bruissait	
ils bruissaient	
qu'il bruisse	
qu'ils bruissent	
p. pr. bruissant	
(adj. : bruyant)	
bruiter, I	6
brûler, I, T, P	6
brumasser, il	6
brumer, il	6
brunir, I, T, P	19
brusquer, T	6
brutaliser, T	6
bûcher, I, T	6
budgétiser, T	6
bureaucratiser, T, P	6
buriner, T	6
busquer, T	6
buter, I, T	6
butiner, I, T	6
butter, T	6
buvoter, I	6

C

	n°
cabaler, I	6
cabaner, T	6
câbler, T	6
cabosser, T	6
caboter, I	6
cabotiner, I	6
cabrer, T, P	6
cabrioler, I	6
cacaber, I	6
cacarder, I	6
cacher, T, P	6
cacheter, T	11
cadancher, I	6
cadastrer, T	6
cadenasser, T	6
cadencer, I, T	7
cadrer, I, T	6
cafarder, T	6
cafouiller, I	6
cafter, I, T	6
cagnarder, I	6
cagner, I	6
cahoter, I, T	6
caillebotter, I, T	6
cailler, I, P	6
cailleter, I	11
caillouter, T	6
cajoler, T	6
calaminer, P	6
calamistrer, T	6
calancher, I	6
calandrer, T	6
calciner, T	6
calculer, I, T	6
caler, T, P	6

	n°
caleter, I, P	12
calfater, T	6
calfeutrer, T, P	6
calibrer, T	6
câliner, T	6
calligraphier, T	15
calmer, T, P	6
calmir, I	19
calomnier, T	15
calorifuger, T	8
calotter, T	6
calquer, T	6
calter, I, P	6
cambrer, T	6
cambrioler, T	6
cambuter, I, T	6
cameloter, I	6
camionner, T	6
camoufler, T	6
camper, I, ♦, T, P	6
canaliser, T	6
canarder, I, T	6
cancaner, I	6
candir, T, P	19
caner, I	6
can(n)er, I	6
canneler, T	11
canner, I, T	6
canoniser, T	6
canonner, T	6
canoter, I	6
cantonner, I, T, P	6
canuler, I, T	6
caoutchouter, T	6
caparaçonner, T, P	6
capéer, I	13
capeler, T	11
capeyer, I	6
capitaliser, I, T	6
capitonner, T, P	6
capituler, I	6
caponner, I	6

	n°
caporaliser, T	6
capoter, I, T	6
capsuler, T	6
capter, T	6
captiver, T, P	6
capturer, T	6
capuchonner, T	6
caquer, T	6
caqueter, I	11
caracoler, I	6
caractériser, T, P	6
caramboler, I, T, P	6
caraméliser, I, T, P	6
carapater, P	6
carbonater, T	6
carboniser, T	6
carburer, I, T	6
carcailler, I	6
carder, T	6
carencer, T	7
caréner, T	10
caresser, T	6
carguer, T	6
caricaturer, T	6
carier, T, P	15
carillonner, I, T	6
carmer, T	6
carminer, T	6
carnifier, P	15
carotter, I, T	6
caroubler, T	6
carreler, T	11
carrer, T, P	6
carrosser, T	6
carroyer, T	17
cartayer, I	16
cartonner, T	6
cascader, I	6
caséifier, T	15
casemater, T	6
caser, T, P	6
caserner, T	6

	n°
casquer, I, T	6
casser, I, T, P	6
castagner, P	6
castrer, T	6
cataloguer, T	6
catalyser, T	6
catapulter, T	6
catastropher, T	6
catcher, I	6
catéchiser, T	6
catir, T	19
cauchemarder, I	6
causer, I, T	6
cautériser, T	6
cautionner, T	6
cavalcader, I	6
cavaler, I, T, P	6
caver, I, T, P	6
caviarder, T	6
céder, I, T	10
ceindre, T	57
ceinturer, T	6
célébrer, T	10
celer, T	12
cémenter, T	6
cendrer, T	6
censurer, T	6
centraliser, T	6
centrer, T	6
centrifuger, T	8
centupler, I, T	6
cercler, T	6
cerner, T	6
certifier, T	15
cesser, I, T de	6
chabler, T	6
chagriner, T	6
chahuter, I, T	6
chaîner, T	6
challenger, T	8
chaloir	D
(peu lui chaut...)	

d

	n°
délecter, T, P	6
déléguer, T	10
délester, T, P	6
délibérer, I, de, T	10
délicoter, T	6
délier, T, P	15
délimiter, T	6
délinéer, T	13
délirer, I	6
délisser, T	6
déliter, T, P	6
délivrer, T	6
déloger, I, T	8
déloquer, T, P	6
délourder, T	6
délover, T	6
délurer, T	6
délustrer, T	6
déluter, T	6
démacadamiser, T	6
démacler, T	6
démaçonner, T	6
démagnétiser, T	6
démaigrir, T	19
démailler, T, P	6
démailloter, T	6
démancher, T, P	6
demander, après, T, P	6
démanger, T	8
démanteler, T	12
démantibuler, T, P	6
démaquer, P	6
démaquiller, T, P	6
démarier, T, P	15
démarquer, T, P	6
démarrer, I, T	6
démascler, T	6
démasquer, T, P	6
démastiquer, T	6
démâter, I, T	6
dématérialiser, T	6
démazouter, I	6

	n°
démêler, T, P	6
démembrer, T	6
déménager, I, ♦, T	8
démener, P	9
démentir, T, P	25
démerder, P	6
démériter, I	6
déméthaniser, T	6
démettre, T, P	56
démeubler, T	6
demeurer, I, ♦	6
démieller, T	6
démilitariser, T	6
déminer, T	6
déminéraliser, T	6
démissionner, I, T	6
démobiliser, T	6
démocratiser, T, P	6
démoder, P	6
démolir, T	19
démonétiser, T	6
démonter, T, P	6
démontrer, T	6
démoraliser, T, P	6
démordre, I	53
démoucheter, T	11
démouler, I, T	6
démouscailler, P	6
démoustiquer, T	6
démucilaginer, T	6
démultiplier, T	15
démunir, T, P	19
démurer, T	6
démurger, I, T	8
démuseler, T	11
démutiser, T	6
démystifier, T	15
démythifier, T	15
dénantir, T	19
dénasaliser, T	6
dénationaliser, T	6
dénatter, T	6

	n°
dénaturaliser, T	6
dénaturer, T, P	6
dénazifier, T	15
dénébuliser, T	6
déneiger, T	8
dénerver, T	6
déniaiser, T	6
dénicher, I, ♦, T	6
dénickeler, T	6
dénicotiniser, T	6
dénier, T	15
dénigrer, T	6
dénitrer, T	6
dénitrifier, T	15
déniveler, T	11
dénombrer, T	6
dénommer, T	6
dénoncer, T	7
dénoter, T	6
dénouer, T, P	6
dénoyauter, T	6
dénoyer, T	17
denteler, T	11
dénucléariser, T	6
dénuder, T, P	6
dénuer, P	6
dépagnoter, P	6
dépailler, T	6
dépaisseler, T	11
dépalisser, T	6
dépanner, T	6
dépaqueter, T	11
déparaffiner, T	6
dépareiller, T	6
déparer, T	6
déparier, T	15
départager, T	8
départir, T, P, de	25
dépasser, I, T, P	6
dépassionner, T	6
dépatouiller, P	6
dépaver, T	6

$\simeq$ inf. + p.p.
+ 3e pers. à tous les
temps
cela s'est ensuivi
cela s'en est ensuivi
cela s'en est suivi

	n°		n°		n°
entôler, T	6	entrouvrir, T, P	27	épierrer, T	6
entonner, T	6	énucléer, T	13	épiler, T	6
entortiller, T, P	6	énumérer, T	10	épiloguer, I, T, sur	6
entourer, T, P	6	**envahir,** T	19	épinceler, T	12
entraccorder, P	6	envaler, T	6	épincer, T	7
entraccuser, P	6	envaser, T, P	6	épinceter, T	11
entradmirer, P	6	**envelopper,** T, P	6	épiner, T	6
entraider, P	6	envenimer, T, P	6	épingler, T	6
entr'aimer, P	6	enverger, T	8	épisser, T	6
entraîner, T, P	6	enverguer, T	6	éployer, T, P	17
entr'apercevoir, P	38	enverrer, T	6	éplucher, T	6
entraver, T	6	envider, T	6	épointer, T	6
entrebâiller, T	6	envier, T	15	éponger, T, P	8
entrebattre, P	55	envieillir, T, P	19	épontiller, T	6
entrechoquer, P	6	environner, T, P	6	épouiller, T	6
entrecouper, T, P	6	envisager, T	8	époumoner, T, P	6
entrecroiser, T, P	6	envoiler, P	6	**épouser,** T	6
entre-déchirer, P	6	envoler, P	6	épousseter, T	11
entre-détruire, P	82	envoûter, T	6	époustoufler, T	6
entre-dévorer, P	6	**envoyer,** T, P	18	époutier, T	15
entr'égorger, P	8	épailler, T	6	époutir, T	19
entre-frapper, P	6	épaissir, I, T, P	19	épouvanter, T, P	6
entre-haïr, P	20	épaler, T	6	épreindre, T	57
entre-heurter, P	6	épamprer, T	6	éprendre, P	54
entrelacer, T, P	7	épancher, T, P	6	**éprouver,** T, P	6
entrelarder, T	6	épandre, T, P	53	épucer, T	7
entre-louer, P	6	épanneler, T	11	**épuiser,** T, P	6
entre-manger, P	8	épanner, T	6	épurer, T	6
entremêler, T, P	6	**épanouir,** T, P	19	équarrir, T	19
entremettre, P	56	**épargner,** T, P	6	équerrer, T	6
entre-nuire, P	82	éparpiller, T, P	6	équilibrer, T, P	6
entreposer, T	6	épater, T	6	équiper, T, P	6
entreprendre, T	54	épaufrer, T	6	équivaloir, à	47
entrer, I, ♦, T	6	épauler, I, T, P	6	équivoquer, I	6
entre-regarder, P	6	épeler, T, P	11	érafler, T	6
entretailler, P	6	épépiner, T	6	érailler, T, P	6
entretenir, T, P	23	éperdre, P	53	érayer, T	16
entretoiser, T	6	éperonner, T	6	éreinter, T, P	6
entre-tuer, P	6	épeuler, T	6	ergoter, I	6
entrevoir, T, P	39	épeurer, T	6	ériger, T, P, en	8
entrevoûter, T	6	épicer, T	7	éroder, T, P	6
entrobliger, P	8	épier, I, T	15	érotiser, T	6

	n°
fenêtrer, T	6
férir, T	D
sans coup férir	
féru de...	
ferler, T	6
fermenter, I	6
fermer, I, T, P	6
ferrailler, I	6
ferrer, T	6
fertiliser, T	6
fesser, T	6
festiner, I, T	6
festonner, T	6
festoyer, I, T, P	17
fêter, T	6
fétichiser, T	6
feuiller, I, T	6
feuilleter, T	11
feuilletiser, T	6
feuler, I	6
feutrer, I, T, P	6
fiancer, T, P	7
ficeler, T	11
ficher, T, P	6

2 p.p. !
les adresses fichées
les occasions fichues

fieffer, T	6
fienter, I	6
fier, P	15
figer, I, T, P	8
fignoler, T	6
figurer, I, T, P	6
filer, I, T, P	6
fileter, T	12
filigraner, T	6
filmer, T	6
filocher, I, T	6
filouter, I, T	6
filtrer, I, T	6
financer, I, T	7

	n°
finasser, I, T	6
finir, I, T	19
finlandiser, T, P	6
fiscaliser, T	6
fissionner, T	6
fissurer, T, P	6
fixer, T, P	6
flacher, T	6
flageller, T, P	6
flageoler, I	6
flagorner, T	6
flairer, T	6
flamber, I, T	6
flamboyer, I	17
flancher, I, T	6
flâner, I	6
flanquer, T, P	6
flaquer, I	6
flasher, I	6
flatter, T, P	6
flauper, T	6
flécher, T	10
fléchir, I, T, P	19
flemmarder, I	6
flétrir, T, P	19
fleurer, I, T	6
fleurir, I, T, P	19
pour « orner de fleurs »	
toujours : fleurissant	
fleurissait	
pour « prospérer »	
de préférence :	
florissant	
florissait	
flibuster, I, T	6
flinguer, T	6
flipper, I	6
flirter, I	6
floconner, I	6
floculer, I	6
floquer, T	6
flotter, I, T	6

	n°
flotter, il	6
flouer, T	6
flouser, I	6
fluber, I	6
fluctuer, I	6
fluer, I	6
fluidifier, T	15
fluidiser, T	6
fluoriser, T	6
flûter, I	6
fluxer, T	6
focaliser, T	6
foirer, I	6
foisonner, I	6
folâtrer, I	6
folichonner, I	6
folioter, T	6
fomenter, T	6
foncer, I, T	7
fonctionnariser, T	6
fonctionner, I	6
fonder, I, T, P	6
fondre, I, T, P	53
forcer, I, T, P	7
forcir, I	19
forclore,	D
$\simeq$ infinitif	
et p.p. forclos (e)	
forer, T	6
forfaire,	D
$\simeq$ infinitif	
et temps composés	
forger, I, T, P	8
forjeter, I, T, P	11
forlancer, T	7
forligner, I	6
forlonger, I, T	8
formaliser, T, P	6
former, T, P	6
formoler, T	6
formuler, T	6
forniquer, I	6

g

	n°		n°		n°
gargouiller, I	6	givrer, T	6	gourmander, T	6
garnir, T, P	19	**glacer,** I, il, T, P	7	**goûter,** I, à de, T	6
garrotter, T	6	glairer, T	6	goutter, I	6
gasconner, I	6	glaiser, T	6	**gouverner,** I, T, P	6
gaspiller, I	6	glander, I	6	gracier, T	15
gâter, T, P	6	glandouiller, I	6	graduer, T	6
gauchir, I, T, P	19	glaner, T	6	grailler, I, T	6
gaufrer, T	6	glapir, I, T	19	graillonner, I	6
gauler, T	6	glatir, I	19	grainer, T	6
gausser, I, T, P	6	glaviot(t)er, I	6	graisser, T	6
gaver, T, P	6	gléner, T	10	grammaticaliser, T	6
gazéifier, T	15	**glisser,** I, T, P	6	**grandir,** I, ♦, T, P	19
gazer, I, T	6	globaliser, T	6	graniter, T	6
gazonner, I, T	6	glorifier, T, P	15	granuler, T	6
gazouiller, I	6	gloser, I, T	6	graphiter, T	6
geindre, I	57	glouglouter, I	6	grappiller, I, T	6
gélatiner, T	6	glousser, I	6	grasseyer, I	6
gélatiniser, T	6	glycériner, T	6	l'y est conservé partout	
geler, I,il, T, P	12	gober, T	6	graticuler, T	6
gélifier, T, P	15	goberger, P	8	gratifier, T	15
géminer, T	6	gobeter, T	11	gratiner, I, T	6
gémir, I, T	19	gobichonner, T	6	**gratter,** I, T, P	6
gemmer, T	6	godailler, I	6	graver, I, P	6
gendarmer, P	6	goder, I	6	gravir, T	19
gêner, T, P	6	godiller, I	6	graviter, I	6
généraliser, T, P	6	godronner, T	6	gréciser, T	6
générer, T	10	goguenarder, I	6	grecquer, T	6
géométriser, T	6	goinfrer, I, P	6	gréer, T	13
gerber , I, T	6	gominer, P	6	greffer, T, P	6
gercer, I, T, P	7	gommer, T	6	grêler, il	6
gérer, T	10	gonder, T	6	**grelotter,** I	6
germaniser, I, T, P	6	gondoler, I, P	6	grenailler, T	6
germer, I	6	**gonfler,** I, T, P	6	greneler, T	11
gésir, I	37	gorger, T, P	8	grener, I, T	9
gesticuler, I	6	gouacher, T	6	grenouiller, I	6
giboyer, T	17	gouailler, I	6	gréser, T	10
gicler, I	6	goudronner, T	6	grésiller, il, I, T	6
gifler, T	6	goujonner, T	6	grever, T	9
gigoter, I	6	goupiller, T, P	6	gribouiller, I, T	6
gironner, T	6	goupillonner, T	6	griffer, T	6
girouetter, I	6	gourbiller, T	6	griffonner, I, T	6
gîter, I	6	gourer, P	6	grigner, I	6

h

	n°
houssiner, T	6
*hucher, T	6
*huer, I, T	6
huiler, T	6
*hululer, I	6
humaniser, T, P	6
humecter, T, P	6
*humer, T	6
humidifier, T	15
humilier, T, P	15
***hurler,** I, T	6
hybrider, T, P	6
hydrater, T, P	6
hydrofuger, T	8
hydrogéner, T	10
hydrolyser, T	6
hypertrophier, P	15
hypnotiser, T, P	6
hypostasier, T	15
hypothéquer, T	10

i

	n°
idéaliser, T, P	6
identifier, T, P	15
idéologiser, T	6
idiotifier, T	15
idiotiser, T	6
idolâtrer, T	6
ignifuger, T	8
ignorer, T, P	6
illuminer, T, P	6
illusionner, T, P	6
illustrer, T, P	6
imager, T	8
imaginer, T, P	6
imbiber, T, P	6'
imbriquer, T, P	6

	n°
imiter, T	6
immatérialiser, T	6
immatriculer, T	6
immerger, T, P	8
immigrer, I	6
immiscer, P	7
immobiliser, T, P	6
immoler, T, P	6
immortaliser, T, P	6
immuniser, T	6
impacter, T	6
impartir, T	19
impatienter, T, P	6
impatroniser, T, P	6
imperméabiliser, T	6
impétrer, T	10
implanter, T, P	6
implémenter, T	6
impliquer, T	6
implorer, T	6
imploser, I	6
importer, I, T	6
importuner, T	6
imposer, T, P	6
imprégner, T, P	10
impressionner, T	6
imprimer, T, P	6
improuver, T	6
improviser, I, T, P	6
impulser, T	6
imputer, T, à	6
inaugurer, T	6
incarcérer, T	10
incarner, T, P	6
incendier, T	15
incidenter, I	6
incinérer, T	10
inciser, T	6
inciter, T, à	6
incliner, I, T, P	6
inclure, T	71
incomber, I, à	6

	n°
incommoder, T	6
incorporer, T, P	6
incrémenter, T	6
incriminer, T	6
incruster, T, P	6
incuber, T	6
inculper, T	6
inculquer, T	6
incurver, T, P	6
indemniser, T, P	6
indexer, T	6
indianiser, T, P	6
indicer, T	7
indifférer, T	10
indigner, T, P	6
indiquer, T	6
indisposer, T	6
individualiser, T, P	6
induire, T	82
indulgencier, T	15
indurer, T	6
industrialiser, T, P	6
infantiliser, T	6
infatuer, T, P	6
infecter, T, P	6
inféoder, T, P	6
inférer, T	10
infester, T	6
infiltrer, T, P	6
infirmer, T	6
infléchir, T, P	19
infliger, T, à	8
influencer, T	7
influer, I, sur	6
informatiser, T	6
informer, T, P	6
infuser, I, T	6
ingénier, P	15
ingérer, T, P, dans	10
ingurgiter, T	6
inhaler, T	6
inhiber, T	6

133

j

m

n

O

	n°
partir, I, ♦, T	25
T : avoir maille à partir	D
des avis mi-partis	
partouser (...zer), I	6
parvenir, I, ♦	23
passementer, T	6
passepoiler, T	6
passer, I, ♦, T, P	6
passionner, T, P	6
passiver, T	6
pasteller, I, T	6
pasteuriser, T	6
pasticher, T	6
pastiller, T	6
pastiquer, I, T	6
patafioler, T	6
patarasser, T	6
patauger, I	8
pateliner, I, T	6
patenter, T	6
pâter, I	6
patienter, I	6
patiner, I, T	6
pâtir, I	19
pâtisser, I, T	6
patoiser, I	6
patouiller, I, T	6
patronner, T	6
patrouiller, I	6
patter, T	6
pâturer, I, T	6
paumer, T, P	6
paumoyer, T, P	17
paupériser, T	6
pauser, I	6
pavaner, P	6
paver, T	6
pavoiser, I, T	6
payer, I, T	16
peaufiner, T	6
peausser, I	6

	n°
pécher, I	10
pêcher, I, T	6
pédaler, I	6
peigner, T, P	6
peindre, T, P	57
peiner, I, T, P	6
peinturer, T	6
peinturlurer, T	6
pelauder, T, P	6
peler, I, T, P	12
pelleter, T	11
peloter, I, T	6
pelotonner, T, P	6
pelucher, I	6
pénaliser, T	6
pencher, I, T, P	6
pendiller, I	6
pendouiller, I	6
pendre, I, T, P	53
pénétrer, I, T, P	10
penser, I, à, T	6
pensionner, T	6
pépier, I	15
percer, I, T	7
percevoir, T	38
percher, I, T, P	6
percuter, I, T	6
perdre, I, T, P	53
pérégriner, I	6
pérenniser, T	6
perfectionner, T, P	6
perforer, T	6
péricliter, I	6
périmer, I, T	6
périphraser, I	6
périr, I	19
perler, I, T	6
permanenter, T	6
perméabiliser, T	6
permettre, T, P	56
permuter, I, T	6
pérorer, I	6

	n°
peroxyder, T	6
perpétrer, T	10
perpétuer, T, P	6
perquisitionner, I, T	6
perreyer, T	6
persécuter, T	6
persévérer, I, dans	10
persifler, T	6
persiller, T	6
persister, I, dans	6
personnaliser, T	6
personnifier, T	15
persuader, T, de, P	6
perturber, T	6
pervertir, T, P	19
peser, I, T	9
pester, I	6
pestiférer, T	10
pétarader, I	6
pétarder, I, T	6
péter, I, T, P	10
pétiller, I	6
pétitionner, I	6
pétrifier, T, P	15
pétrir, T	19
pétuner, I	6
peupler, I, T, P	6
phagocyter, T	6
philosopher, I	6
phlogistiquer, T	6
phosphater, T	6
phosphorer, I	6
photocopier, T	15
photographier, T	15
phraser, I, T	6
piaffer, I	6
piailler, I	6
pianoter, I, T	6
piauler, I	6
picoler, I, T	6
picorer, I, T	6
picoter, T	6

	n°
provoquer, T	6
psalmodier, I, T	15
psychanalyser, T	6
psychiatriser, I	6
publier, T	15
puddler, T	6
puer, I, T	6
rares : passé simple	
subj. imparfait	
et temps composés	
puiser, T	6
pulluler, I	6
pulser, T	6
pulvériser, T	6
punir, T	19
purger, T	8
purifier, T	15
putréfier, T, P	15
pyramider, I	6
pyrograver, T	6
pyrrhoniser, I	6

q

quadriller, T	6
quadrupler, I, T	6
qualifier, T, P	15
quantifier, T	15
quarderonner, T	6
quarrer, T	6
quartager, T	8
quarter, T	6
quémander, I, T	6
quereller, T, P	6
quérir, T	D
≃ infinitif	
aussi querir	

	n°
questionner, T	6
quêter, I, T	6
queuter, I	6
quintessencier, T	15
quintupler, I, T	6
quittancer, T	7
quitter, T	6
quotter, I	6

r

rabâcher, I, T	6
rabaisser, T, P	6
rabanter, T	6
rabattre, I, T, P	55
rabibocher, T	6
rabioter, I, T	6
râbler, T	6
rabonnir, I, T	19
raboter, T	6
rabougrir, I, T, P	19
rabouter, T	6
rabrouer, T	6
raccommoder, T, P	6
raccompagner, T	6
raccorder, T, P	6
raccourcir, I, T, P	19
raccoutrer, T	6
raccrocher, I, T, P	6
racheter, T, P	12
raciner, I, T	6
racler, T, P	6
racoler, T	6
raconter, T, P	6
racornir, T, P	19
rader, T	6
radicaliser, T, P	6

	n°
radier, T	15
radiner, I, P	6
radiobaliser, T	6
radiodiffuser, T	6
radiographier, T	15
radioguider, T	6
radioscoper, T	6
radiotélégraphier, T	15
radoter, I	6
radouber, T	6
radoucir, I, T, P	19
raffermir, T, P	19
raffiner, I, T	6
raffoler, T, de	6
rafistoler, T	6
rafler, T	6
rafraîchir, I, T, P	19
ragaillardir, T	19
rager, I	8
ragoter, I	6
ragoûter, T	6
ragrafer, T	6
ragréer, T	13
raguer, I, T, P	6
raidir, T, P	19
railler, I, T, P	6
rainer, T	6
raineter, T	11
rainurer, T	6
raire, I	61
raisonner, I, T, P	6
rajeunir, I, ♦, T, P	19
rajouter, T	6
ralentir, I, T, P	19
râler, I	6
ralinguer, T	6
ralléger, I	8
rallier, I, T, P	15
rallonger, I, T, P	8
rallumer, I, T, P	6
ramager, I, T	8
ramailler, T	6

	n°		n°		n°
remmailler, T	6	renfaîter, T	6	réorchestrer, T	6
remmailloter, T	6	**renfermer,** T, P	6	réordonnancer, T	7
remmancher, T	6	renfiler, T	6	réordonner, T	6
remmener, T	9	renflammer, T	6	réorganiser, T, P	6
remonter, I, T, P	6	renfler, I, T, P	6	réorienter, T, P	6
remontrer, en, à, T	6	renflouer, T	6	repairer, I	6
remordre, T	53	renfoncer, T	7	repaître, T, P	66
remorquer, T	6	renforcer, T, P	7	**répandre,** T, P	53
remoucher, T, P	6	renformir, T	19	**reparaître,** I, ♦	64
remoudre, T	74	renfrogner, P	6	**réparer,** T	6
remouiller, I, T	6	rengager, T	8	reparler, I	6
rempailler, T	6	rengainer, T	6	repartager, T	8
rempaqueter, T	11	rengorger, P	8	repartir, I, ♦	25
remparer, T	6	rengracier, I	15	**repartir,** T	25
rempiéter, T	10	rengrener, T	9	répartir, T, P	19
rempiler, I, T	6	rengréner, T	10	**repasser,** I, T, P	6
remplacer, T	7	renier, T	15	repatiner, T	6
remplier, T	15	renifler, I, T	6	repaver, T	6
remplir, T, P	19	renommer, T	6	repayer, T	16
remployer, T	17	**renoncer,** I, à, T	7	repêcher, T	6
remplumer, T, P	6	renouer, avec T, P	6	repeigner, T, P	6
rempocher, T	6	**renouveler,** T, P	11	repeindre, T	57
rempoissonner, T	6	rénover, T	6	rependre, T	53
remporter, T	6	renquiller, I, T, P	6	repenser, à T	6
rempoter, T	6	**renseigner,** T, P	6	**repentir,** P	25
remprunter, T	6	rentabiliser, T	6	repercer, T	7
remuer, I, T, P	6	rentamer, T	6	répercuter, T, P	6
rémunérer, T	10	renter, T	6	reperdre, T	53
renâcler, I, à	6	rentoiler, T	6	repérer, T, P	10
renaître, I	D 65	rentraire, T	61	répertorier, T	15
pas de p.p.!		**rentrer,** I, ♦	6	**répéter,** I, T, P	10
renarder, I	6	**rentrer,** T	6	repeupler, T, P	6
renauder, I	6	rentrouvrir, T	27	repincer, T	7
rencaisser, T	6	renvelopper, T	6	repiquer, à T	6
rencarder, T	6	renvenimer, T	6	replacer, T	7
renchaîner, T	6	renverger, T	8	replanter, T	6
renchérir, I	19	**renverser,** T, P	6	replâtrer, T	6
rencogner, T, P	6	renvider, T	6	repleuvoir, il	45
rencontrer, T, P	6	renvier, I, T	15	replier, T, P	15
rendormir, T, P	32	**renvoyer,** T, P	18	**répliquer,** I, T	6
rendosser, T	6	réoccuper, T	6	replisser, T	6
rendre, I, T, P	53	réopérer, T	10	replonger, I, T, P	8

	n°
saigner, I, T, P	6
saillir, I	D 29
~ infinitif	
3es personnes	
saillir, T	D 19
~ infinitif	
3es personnes	
saisir, T, P	19
saisonner, I	6
salarier, T	15
saler, T	6
salir, T, P	19
saliver, I	6
saloper, T	6
salpêtrer, T	6
saluer, T, P	6
sanctifier, T	15
sanctionner, T	6
sandwicher, T	6
sangler, T, P	6
sangloter, I	6
sa(n)tonner, T	6
saouler, T, P	6
saper, T, P	6
saponifier, T	15
sarcler, T	6
sasser, T	6
sataner, T	6
satelliser, T	6
satiner, T	6
satiriser, T	6
satisfaire, T à, P de	62
saturer, T	6
saucer, T	7
saucissonner, I	6
saumurer, T	6
sauner, I	6
saupoudrer, T de	6
saurer, T	6
saurir, T	19
sauter, I, T	6
sautiller, I	6

	n°
sauvegarder, T	6
sauver, T, P	6
savoir, I, T, P	41
savonner, T, P	6
savourer, T	6
scalper, T	6
scandaliser, T, P	6
scander, T	6
scarifier, T	15
sceller, T	6
schématiser, T	6
schlinguer, T	6
schlitter, T	6
scier, I, T	15
scinder, T, P	6
scintiller, I	6
sciotter, T	6
scissionner, I	6
scléroser, T, P	6
scolariser, T	6
scotcher, T	6
scratcher, T, P	6
scribouiller, T	6
scruter, T	6
sculpter, T	6
sécher, I, T, P	10
seconder, T	6
secouer, T, P	6
secourir, T	33
sécréter, T	10
sectionner, T	6
séculariser, T	6
sédentariser, T, P	6
séduire, T	82
segmenter, T	6
séjourner, I	6
sélectionner, T	6
seller, T	6
sembler, I, il	6
semer, T	9
semoncer, T	7
sensibiliser, T	6

	n°
sentir, I, T, P	25
seoir, I, P	50
séparer, T, P	6
septupler, I, T	6
séquestrer, T	6
sérancer, T	7
serfouir, T	19
sérialiser, T	6
sérier, T	15
seriner, T	6
seringuer, T	6
sermonner, T	6
serpenter, I	6
serrer, I, T, P	6
sertir, T	19
servir, I, T, P	35
sévir, I contre	19
sevrer, T	6
sextupler, I, T	6
sexualiser, T	6
shampooingner, T	6
ou shampouiner, T	6
shooter, I, P	6
shunter, T	6
sidérer, T	10
siéger, I	14
siffler, I, T	6
siffloter, I, T	6
signaler, T, P	6
signaliser, T	6
signer, T, P	6
signifier, T	15
silhouetter, T	6
silicatiser, P	6
siliconer, T	6
sillonner, T	6
similiser, T	6
simplifier, T, P	15
simuler, T	6
singer, T	8
singulariser, T, P	6
siniser, T	6

	n°
stripper, T	6
striquer, T	6
structurer, T	6
stupéfaire, T,	D
≃ stupéfait, e	
et temps composés	
stupéfier, T	15
stuquer, T	6
styler, T	6
styliser, T	6
subdéléguer, T	10
subdiviser, T	6
subir, T	19
subjuguer, T	6
sublimer, I, T	6
submerger, T	8
subodorer, T	6
subordonner, T	6
suborner, T	6
subroger, T	8
subsister, I	6
substantiver, T	6
substituer, T, P	6
subtiliser, I, T	6
subvenir, à	23
subventionner, T	6
subvertir, T	19
succéder, à P	10
succomber, I à	6
sucer, I, T, P	7
suçoter, T	6
sucrer, I, T, P	6
suer, I, T	6
suffire, il de, I à P	81
suffixer, T	6
suffoquer, I, T	6
suggérer, T	10
suggestionner, T	6
suicider, P	6
suif(f)er, T	6
suinter, I, T	6
suivre, I, T, P	75

	n°
sulfater, T	6
sulfiter, T	6
sulfoner, T	6
sulfurer, T	6
superfinir, T	19
superposer, T, P	6
superviser, T	6
supplanter, T	6
suppléer, à T	13
supplémenter, T	6
supplicier, T	15
supplier, T	15
supporter, T	6
supposer, T	6
supprimer, T, P	6
suppurer, I	6
supputer, T	6
surabonder, I	6
surajouter, T	6
suralimenter, T	6
surbaisser, T	6
surcharger, T	8
surchauffer, T	6
surclasser, T	6
surcomprimer, T	6
surcontrer, T	6
surcouper, T	6
surdorer, T	6
surédifier, T	15
surélever, T	9
surenchérir, I	19
surentraîner, T	6
suréquiper, T	6
surestimer, T	6
surévaluer, T	6
surexciter, T	6
surexposer, T	6
surfacer, I, T	7
surfaire, T	62
surfer, I	6
surfiler, T	6
surgeler, T	12

	n°
surgeonner, I	6
surgir, I	19
surglacer, T	7
surhausser, T	6
surimposer, T, P	6
suriner, T	6
surir, I	19
surjaler, I	6
surjeter, T	11
surlier, T	15
surmener, T, P	9
surmonter, T	6
surmouler, T	6
surnager, I	8
surnommer, T	6
suroxyder, T	6
surpasser, T, P	6
surpayer, T	16
surplomber, I, T	6
surprendre, T, P	54
surproduire, T	82
sursaturer, T	6
sursauter, I	6
sursemer, T	9
surseoir, à T	51
surtaxer, T	6
surtondre, T	53
surveiller, T, P	6
survenir, I, ♦	23
survivre, I à, P	76
survoler, T	6
survolter, T	6
susciter, T	6
suspecter, T	6
suspendre, T, P	53
sustenter, T, P	6
susurrer, I, T	6
suturer, T	6
swinguer, I	6
syllaber, T	6
symboliser, T	6
symétriser, I, T	6

W

Z

CODE DES SIGNES DU DICTIONNAIRE

battre   Ces verbes sont particulièrement fréquents (voir l'Échelle D-B *Ters et Reichenbach*, tranches 1 et 2).

19   Renvoi aux verbes types dans les tableaux.

19   Renvoi aux tableaux (soit au modèle soit aux notes).

à, de, etc.   Rappel de la préposition régie par le verbe.

I   Verbe ou emploi intransitif.

T   Verbe ou emploi transitif direct.

P   Verbe ou emploi pronominal.

P   Participe invariable dans l'emploi pronominal.

♦   Ce verbe se conjugue avec *être*.

♦   Ce verbe se conjugue avec *être* OU *avoir* (cf. p. 100).

D   Verbe défectif.

il   Verbe ou emploi impersonnel.

≃   Ne s'emploie que sous cette forme.

CASTERMAN S.A. TOURNAI — Dépôt légal 889916, mars 1988. Impr. n° 6935.
Imprimé en Belgique.